O cuidado do corpo

# O cuidado do corpo

*Sabedoria bíblica para o bem-estar físico e espiritual*

LUCIANO SUBIRÁ

Os textos bíblicos foram extraídos da ***Nova Almeida Atualizada*** (NAA), da Sociedade Bíblica do Brasil, salvo as seguintes indicações: ***Almeida Revista e Corrigida*** (ARC) e ***Tradução Brasileira*** (TB), ambas da Sociedade Bíblica do Brasil; ***Bíblia de Jerusalém*** (BJ), da Editora Paulus; ***Nova Versão Internacional*** (NVI), da Biblica, Inc.; ***Nova Versão Transformadora*** (NVT), da Tyndale House Foundation; ***Versão Fácil de Ler*** (VFL), da Bible League Internacional; e ***A Mensagem***, de Eugene Peterson, da Editora Vida. Destaques em textos bíblicos e citações em geral referem-se a grifos do autor.



*Edição*
Daniel Faria
*Revisão*
Raquel Carvalho Pudo
*Produção e diagramação*
Felipe Marques
*Colaboração*
Ana Luiza Ferreira
*Capa*
Jonatas Belan

*CIP-Brasil. Catalogação na publicação*
*Sindicato Nacional dos Editores de Livros, RJ*

S934c

Subirá, Luciano
O cuidado do corpo : sabedoria bíblica para o bem-estar físico e espiritual / Luciano Subirá. - 1. ed. - São Paulo : Mundo Cristão, 2024.
208 p.

ISBN 978-65-5988-290-8

1. Saúde - Aspectos religiosos - Cristianismo. 2. Corpo e mente. 3. Vida espiritual - Cristianismo. I. Título.

23-87358 CDD: 248.4
CDU: 27-584:613.8

*Meri Gleice Rodrigues de Souza - Bibliotecária - CRB-7/6439*

*Categoria:* Inspiração
1ª edição: fevereiro de 2024 | 6ª reimpressão: 2025

Publicado no Brasil com todos os direitos reservados por:

Editora Mundo Cristão
Rua Antônio Carlos Tacconi, 69
São Paulo, SP, Brasil
CEP 04810-020
Telefone: (11) 2127-4147
www.mundocristao.com.br

*Quero honrar e registrar meu apreço e gratidão a duas pessoas especiais que ganharam o coração de toda a minha família:*

*Minha nora Priscilla e meu genro Kalebe.*

*Vocês são mais do que cônjuges exemplares que proporcionam realização a meus filhos. São exemplos de fé e compromisso com Deus e sua Palavra. São servos apaixonados por seu Senhor e comprometidos com seu Reino. Saber que meus netos serão criados por referenciais como vocês enche meu coração de júbilo e gratidão. Amo vocês!*

# SUMÁRIO

# PREFÁCIO

Meu coração se alegra sempre que meu esposo lança um novo livro porque, antes de propagar uma mensagem, ela nos toca primeiramente como casa, família, igreja.

Testemunhar meu marido escrevendo e promovendo este livro, em especial, me deixa muito orgulhosa; este ensino é fruto de uma *metanoia*, isto é, uma mudança pessoal que ele vivenciou e que acabou inspirando muitos outros a também buscá-la. Trata-se de uma transformação radical, tanto de mentalidade como de estilo de vida, que me permitiu ter um cônjuge muito mais saudável.

A transformação foi mais do que a grande perda de peso, a nova disciplina de atividades físicas, o aprendizado de que o sono é valioso e o cuidado com a nutrição. Foi, essencialmente, sobre o conceito de plantio e colheita. Ou seja, a consciência de que nossas escolhas de hoje estão totalmente associadas com a qualidade de vida que teremos amanhã.

Sei que a mudança de velhos hábitos é desafiadora e a sustentação de um novo estilo de vida só pode ser mantida quando há uma mudança de valores, de crenças. Essa, por sua vez, tem a compreensão das verdades bíblicas como ponto de partida.

Acho impressionante como a Bíblia, que gostamos de denominar "o manual do fabricante", nos ensina sobre tantas áreas distintas. Confesso que fiquei impactada com o volume de verdades sobre o cuidado com o corpo que foram apresentadas neste livro. Eu as recebi de antemão, acompanhando e testemunhando de perto enquanto o Luciano adentrava a compreensão dessas descobertas e não apenas as aplicava em sua própria vida, mas também, como lhe é peculiar, transbordava o assunto em inúmeras conversas particulares. Ouvi meu esposo falar mais dessas verdades nas conversas de mesa com familiares, amigos e muitos irmãos em Cristo, do que em púlpitos.

Aliás, vale ressaltar que presenciei, repetidas vezes, os pedidos que muita gente lhe fez ao longo dos últimos anos: "Você precisa pregar e ensinar mais sobre o assunto" ou "Você deveria escrever um livro acerca disso". Também testemunhei sua determinação em não sair apregoando nada que ele não estivesse, primeiro, vivendo intensamente. Agora, anos depois desse processo de aprendizado, mudança de mente e dedicação para viver tais princípios, finalmente fomos agraciados com esta obra. E afirmo que o Espírito Santo também o instruiu acerca do tempo certo de promover esse ensino.

Creio que você, leitor, será abençoado, instruído e desafiado com estas verdades bíblicas e encorajado a cuidar melhor de seu corpo e de sua saúde. Boa leitura!

KELLY SUBIRÁ

# INTRODUÇÃO

Porque ninguém jamais odiou o seu próprio corpo. Ao contrário, o alimenta e cuida dele, como também Cristo faz com a igreja.

EFÉSIOS 5.29

As palavras acima, extraídas da carta do apóstolo Paulo à igreja de Éfeso, apontam para uma verdade básica: nosso corpo precisa de alimentação e cuidado. O verbo grego traduzido por "cuida" é *thalpó*, cujo significado é "aquecer, manter quente", ou, em sentido metafórico, "cuidar com amor terno".[1] As Escrituras, portanto, não se referem apenas à nutrição, mas a um cuidado tal que se compara ao modo como Cristo cuida de seu próprio corpo, a Igreja.

Cuidar do corpo é um exercício de amor-próprio, mas não se trata necessariamente de um ato egoísta. Antes, é um comportamento sábio que, além de garantir melhor qualidade de vida, também nos permite servir melhor a Deus e às pessoas. E o fato é que a Bíblia aborda o assunto com mais frequência do que imaginamos. É imperativo buscar uma dimensão de entendimento bíblico mais clara e profunda acerca do tema, se desejamos corresponder nossa vida com a vontade de Deus e obedecer a seus princípios. Foi em resposta a essa necessidade que este livro nasceu.

[1] Bible Hub, verbete *thalpó*, G2282, <https://biblehub.com/greek/2282.htm>.

Durante muitos anos, em conversas com pessoas próximas, repeti uma declaração: "Vivi uma vida sem arrependimentos". O objetivo de minha fala nunca foi contrariar o arrependimento de pecados. Afinal, é lógico que cometo erros e preciso de um coração que se permite quebrantar. O sentido era outro: falar de escolhas que fiz ao longo da vida, desde muito pequeno.

Nasci num lar cristão; fui instruído na Palavra de Deus e no temor do Senhor. Curvei-me ao senhorio de Cristo bem cedo. Antes mesmo de entrar na pré-adolescência, fui batizado nas águas e recebi uma chamada divina ao ministério. Aos 15 anos, fui cheio do Espírito Santo, e minha vida seguiu profundamente marcada pelo Senhor. Escolhi andar em integridade diante de Deus e dos homens, conforme me havia sido ensinado, e assim perseverei.

Em 1995, casei-me com a melhor esposa que poderia ter — acredito nisso tanto da perspectiva da união de propósitos como da compatibilidade relacional, o que inclui nossas diferenças. Kelly e eu geramos e criamos dois filhos preciosos que também amam, temem e servem ao Senhor. Hoje, já casados, vivendo o modelo bíblico da família, continuam a alegrar-nos com suas próprias escolhas em Deus. Soma-se a tudo isso a fase que estamos vivendo agora, enquanto escrevo estas páginas: a de desfrutar dos netos (só quem já é avô entende esse tipo de orgulho e alegria).

Além disso, tenho feito muitas amizades e mantido ótimos relacionamentos ao longo da vida. Cada doação, entrega e sacrifício feitos a Deus, a seu reino, à família, aos amigos e até a desconhecidos ainda me enche de satisfação.

Não tenho nada do que me arrepender quanto a todas essas escolhas e experiências; muito pelo contrário, a gratidão que carrego no íntimo é imensa. Nunca tive de lidar com nenhum assunto considerado de "grande proporção", que me fizesse querer voltar no tempo para remediar. Foi sob esse prisma, portanto, que afirmei repetidas vezes: "Não carrego arrependimentos".

Porém, essa percepção mudou nos últimos anos. Atualmente, há algo de que posso dizer que me arrependo. E muito. Se possível fosse, entraria em uma máquina do tempo para voltar atrás e fazer tudo diferente. Refiro-me a ter vivido tantos anos sem entender a mentalidade bíblica sobre o *cuidado do corpo*.

No momento em que escrevo este livro, já contabilizei uma diminuição de peso de, aproximadamente, 65 quilos em quinze anos. Já cheguei a pesar, no auge da obesidade, 153 quilos. Não fui obeso a vida toda. Meus pais também não foram, nem meus irmãos. Sendo assim, não posso alegar — ou usar como desculpa — que meu problema foi causado por propensão genética, tampouco por uma cultura alimentar errada. O fato é que, em algum momento, deixei que a vida tomasse o rumo errado nessa área. Obviamente, não acontece da noite para o dia; esse é o tipo de erro que podemos classificar como um *processo*. Ou seja, trata-se de uma sucessão de conceitos e escolhas erradas que mostram suas consequências no longo prazo.

Hoje, reconheço que não falhei apenas na alimentação (o que, quando e quanto deveria comer), mas também no cuidado com o corpo de forma mais abrangente. Negligenciei outras questões importantes, como não dar o devido valor ao sono e à prática de exercícios físicos. Todas essas negligências exerceram, é claro, impacto negativo sobre minha saúde.

Graças a Deus, acordei a tempo e peguei o caminho de volta. Mediante o entendimento das verdades da Palavra de Deus sobre o assunto, reformulei minha forma de pensar, ajustei meus valores e mudei de hábitos.

De igual modo, espero ajudar o máximo de pessoas a trilhar o mesmo caminho. Afinal, não fui o primeiro nem serei o último a ter de lidar com essa questão. São muitos os que negligenciam o cuidado com o corpo; alguns por ignorância, outros por deliberada negligência.

Vale ressaltar que não me aprofundarei em questões médicas, porque não tenho conhecimento técnico nem capacitação para tal, embora tenha me proposto citar comentários de especialistas da área. Este livro tampouco é um manual de dietas. Minha intenção não é substituir, nem muito menos desestimular a busca por acompanhamento especializado, e sim o oposto disso. E, para os que querem implementar a prática de exercícios físicos, recomendo que o façam sob orientação dos profissionais da área.

Por fim, friso o propósito deste ensino: levar aqueles que creem na Bíblia — o "manual do fabricante" cujo autor é o Criador de todas as coisas — a entenderem as leis que regem tanto o mundo espiritual quanto o natural. Entendendo-as, creio que haverá um impulso à responsabilização com o cuidado do corpo. Assim, meu desejo e oração é que Deus use as verdades contidas nestas páginas, direcionando muitos leitores não só a uma nova mentalidade, mas a um novo estilo de vida.

# 1

# RENOVAÇÃO DA MENTE

E não vivam conforme os padrões deste mundo, mas
deixem que Deus os transforme pela renovação da mente,
para que possam experimentar qual é a boa, agradável e
perfeita vontade de Deus.

ROMANOS 12.2

Nesse clássico trecho bíblico, Paulo aborda a transformação progressiva do cristão, ou seja, a santificação, que é a continuidade do processo de mudança iniciado no momento da conversão. Para a eficácia do processo, o apóstolo ressalta a necessidade de um elemento-chave: a *mudança de mentalidade*.

A razão me parece óbvia: depois de anos de determinadas condutas, que se repetem como que guiadas por um piloto automático, escrever uma nova história requer, em primeiro lugar, uma reprogramação da mente. Nossas práticas são extensão ou consequência de nossos valores, quer tenhamos consciência disso quer não. Ninguém viverá de modo diferente daquilo que, por muito tempo, foi seu padrão de vida, a menos que haja uma reforma de conceitos. Penso ser essa a razão pela qual muitos afirmam que quanto mais velhos somos mais dificilmente mudamos nossos hábitos.

Vale destacar, ainda, que mudanças costumam ser precedidas por um episódio que gera choque. O impacto funciona como um gatilho que dispara uma medida de receptividade à mudança na mente e, consequentemente, também pode conduzir a uma alteração no comportamento. Ao fim, a mudança pode ser tanto para melhor como para pior, dependendo de como cada pessoa reage ao evento-gatilho.

Pois bem, o conteúdo que compartilho neste livro teve um ponto de partida em minha história. Tudo começou com um problema e o choque da *constatação* não só de sua existência, mas também de sua gravidade. O entendimento despertado pelo choque, então, desenvolveu-se mediante um posicionamento, que envolveu busca por conhecimento e cultivo deliberado, embora não imediato, de uma mudança de mentalidade.

Vivi, nas últimas décadas, um longo processo: de enorme ganho de peso ao emagrecimento. Entre um extremo e outro, obviamente, houve fases de oscilação. O que quero compartilhar, no entanto, não é apenas o drama dos resultados aferidos na balança, e sim uma incrível descoberta dos valores bíblicos referentes ao cuidado do corpo — o que é mais abrangente do que tão somente a questão do peso.

Como já dito na introdução, esta é uma obra de ensino bíblico, e não a promoção de algum tipo de dieta. Contarei nestas páginas as correções e o aprendizado que Deus acrescentou à minha vida por meio de sua Palavra, seu Espírito Santo e pessoas usadas por ele. Aqui se encontram lições que me sinto encarregado de compartilhar com aqueles que, como eu, creem nas Sagradas Escrituras como única regra de fé e prática. Este livro, portanto, é escrito por um cristão cujas mais profundas convicções são oriundas da Bíblia e que se destina a outros cristãos que compartilham do mesmo código de crença. Dito isso, é hora de prosseguir.

## O problema

Ao longo da década de 1990, meu ganho de peso foi lento e gradual, progredindo ano após ano. Contudo, entre 2005 e 2007, atingi o "recorde" do excesso de peso: 153 quilos. Inevitavelmente, deparei com as consequências da negligência com a saúde: hipertensão arterial chegou primeiro e, depois de um tempo, diabetes. Assustei-me com a combinação das duas ameaças e, em algum momento depois de já estar pagando essa alta conta, mudei radicalmente minha alimentação. Em menos de um ano, perdi quase trinta quilos; tanto a pressão arterial como o nível de açúcar no sangue praticamente normalizaram. Com isso, veio uma sensação de alívio, e aquele susto, causado pela constatação daquelas ameaças à saúde, foi embora. O resultado foi que nunca mais retornei à condição anterior; não prossegui, entretanto, perdendo peso como deveria.

Os anos se passaram e, em junho de 2014, tive uma conversa interessante com o dr. Aldrin Marshall, em seu consultório (na época, em Belo Horizonte). Eu me orgulhava de ter perdido tanto peso, embora fizesse vista grossa ao fato de que ainda houvesse quase a mesma quantidade de quilos por eliminar. Sentia-me confortável por já ter experimentado alguma melhora. O susto inicial havia passado e o temor das consequências da obesidade diminuído, de modo que a intensidade com que lidara anteriormente com o assunto se arrefeceu.

Não fui até o dr. Aldrin para uma consulta; apenas estava na cidade, pregando na igreja dele, então, por indicação de amigos, fui ao consultório no intuito de conhecê-lo. O dr. Aldrin se mostrou preocupado com minha saúde e enfatizou a necessidade de mudança de mentalidade e conduta, caso eu realmente quisesse viver para cumprir todo o propósito de Deus para minha vida. Aproveitei para contar como já vinha emagrecendo e mudando hábitos, ou seja, como já me cuidava mais e melhor. Tentei deixar claro que havia sido *tocado* pela necessidade de mudar. Naquele momento da conversa, ele aproveitou para dizer:

— Pastor, eu também ministro a Palavra de Deus; não tanto quanto você, que faz isso quase todo dia, mas sou um pregador. Uma das coisas mais frustrantes para mim, como quem proclama a Palavra de Deus, é ver alguém sair de seu lugar, ir à frente na hora do apelo, chorar e dizer a si mesmo que mudará de vida, mas, depois de um tempo, esquecer-se completamente daquele toque inicial que havia recebido.

Então, emendou uma pergunta:

— Você também sente isso?

— Claro que sim — concordei, embora incerto do rumo daquela conversa.

Ele prosseguiu:

— Mas você concorda comigo que, se essa pessoa lesse mais a Bíblia para manter acesa a consciência uma vez despertada, seria bem mais fácil preservar aquilo que ela recebeu na hora em que estava ouvindo a pregação?

Novamente, admiti que concordava com ele. Por fim, ele disparou:

— É assim que me sinto agora, do lado de cá da mesa. Estou vendo você todo "tocado" com nossa conversa, mas já imaginando que, daqui uns dias, essa sua consciência terá ido embora.

Foi um choque. Entendi sua frustração a partir de minha própria perspectiva de pregador. Além disso, enxerguei a forma leviana com que vinha tratando o assunto da saúde. Sim, foi mesmo um choque.

O dr. Aldrin finalizou com outra analogia:

— Eu sugeriria que você, a partir de hoje, lesse mais a *minha* Bíblia.

— Como assim, a *sua* Bíblia? — perguntei.

— Refiro-me às informações da medicina a respeito do funcionamento fisiológico do corpo e das medidas de cuidado que necessitam ser tomadas. Refiro-me, também, à importância da boa alimentação, do sono de qualidade e da prática de exercícios físicos. Tudo isso ajudará você não somente a compreender o que digo, mas também será útil no sentido de mantê-lo mais consciente de sua responsabilidade de cuidar da saúde. Sem contar que você também enxergará um caminho prático para viver tudo isso.

Como sempre fui muito curioso, decidi, após aquela conversa, entender melhor o funcionamento do corpo e seu devido cuidado. Antes, contudo, decidi que estudaria o assunto à luz das Sagradas Escrituras. Posso dizer que, desde então, tem sido de grande valia entender melhor não apenas questões fisiológicas, mas, principalmente, a revelação bíblica de verdades que antes eu ignorava.

Meu desejo é ajudar muitos a alcançarem essa compreensão bíblica mais profunda sobre saúde, a qual me dediquei a buscar, pois sei — e constatei na prática — que *sem mudança de mentalidade jamais haverá mudança de comportamento*. Trata-se do ponto de partida para a transformação.

## Mudança de mentalidade

Embora a proposta desta obra seja, como já afirmado, oferecer ensino e orientação bíblica, não tenho como fazê-lo sem contar minha própria história. Fatos que têm relação com o tema abordado — e envolvem erros e acertos — precisam ser contados, ainda que de forma resumida. Em vários momentos, compartilharei episódios que entendo terem sido importantes como pano de fundo de minhas descobertas; creio que ajudarão na comunicação dos valores bíblicos implícitos.

Por muitos anos, eu estive acima, muito acima, do peso ideal, o que exigiu uma transformação de grandes proporções. No entanto, ela não se deu só do lado de fora; começou interiormente, com a assimilação de novos valores. A manifestação externa foi uma espécie de efeito colateral.

Anos atrás, ouvi alguém afirmar que não se muda uma *estrutura* sem antes mudar seus *valores*. Em uma igreja, por exemplo, qualquer transição de uma estrutura de ministério para outra requer que se trabalhe, primeiro, na mudança de valores, de mentalidade. Tratamos isso como fundamental. Em nossa estrutura de vida, as mudanças se dão da mesma forma. Portanto, toda mudança comportamental inicia com a mudança de mentalidade.

Voltemos ao início do capítulo, à exortação de Paulo. As Escrituras nos mostram que o próprio Deus, que anseia conduzir-nos à transformação, instituiu o princípio da mudança de mentalidade:

> Portanto, irmãos, pelas misericórdias de Deus, peço que *ofereçam o seu corpo como sacrifício vivo, santo e agradável a Deus.* Este é o culto racional de vocês. E não vivam conforme os padrões deste mundo, mas *deixem que Deus os transforme pela renovação da mente,* para que possam experimentar qual é a boa, agradável e perfeita vontade de Deus.
>
> Romanos 12.1-2

Tanto o corpo quanto a maneira de pensar são citados pelo apóstolo como ingredientes necessários à mudança que deve ocorrer em nossa vida. O Altíssimo não trabalha sozinho. Em sua soberania, o Criador decidiu que agiria com a interação humana. Renovar a mente é um dos mais importantes fatores para que ocorra qualquer tipo de mudança, e faz parte do que podemos efetuar para interagir com ele na busca por transformação. A Versão Fácil de Ler apresenta assim a declaração de Paulo: "Não sejam mais moldados por este mundo mas, *pela nova maneira de vocês pensarem,* vivam uma vida diferente".

Precisamos de uma dimensão mais profunda de conscientização das verdades bíblicas. O apóstolo enfatizou aos crentes de Éfeso: "vocês foram instruídos a [...] se deixar renovar no espírito do entendimento" (Ef 4.22-23). O contexto dessa afirmação é a mudança de comportamento.

A ignorância escraviza. Deus afirmou, por meio do profeta Oseias: "O meu povo está sendo destruído, pois lhe falta o conhecimento" (Os 4.6). Em contrapartida, sabemos que o conhecimento é libertador; Cristo declarou: "conhecerão a verdade, e a verdade os libertará" (Jo 8.32). Obviamente, o foco dessas afirmações é o entendimento da verdade espiritual, revelada na Palavra de Deus. Portanto, mais do que abordar a importância do conhecimento científico, quero dar ênfase ao ensino bíblico sobre saúde e cuidado do corpo.

Foi precisamente o que aconteceu comigo: nova visão e mentalidade foram geradas em virtude de uma nova percepção dos princípios bíblicos. O apóstolo Paulo declarou: "para que, com o encorajamento que recebemos de Deus, possamos encorajar outros" (2Co 1.4, NVT). Sinto-me na responsabilidade de ajudar outros como eu mesmo fui ajudado ao descobrir e compreender essas verdades das Escrituras.

No entanto, é importante registrar que não mudei minha mentalidade e meu comportamento de forma instantânea. O processo foi *gradual*. À medida que fortalecia a *convicção* dos valores da Palavra de Deus, as mudanças foram, pouco a pouco, encontrando seu lugar. Também retrocedi algumas vezes, seja na questão do peso seja em outros aspectos do cuidado do corpo, como alimentação correta, descanso e atividade física, por não fortalecer devidamente essa consciência (e preparei um capítulo inteiro para abordar apenas esse ponto).

Por ora, vale dizer que o que tratamos neste livro merece *atenção* especial. Mais do que uma leitura rápida, o assunto demanda *meditação*. Sugiro que você reserve um tempo para orar sobre o que está lendo e, ainda, discuta o assunto com outras pessoas. Uma reflexão mais profunda requer tempo e retorno repetido às mesmas verdades.

Aliás, a *repetição* é parte de qualquer processo didático e de treinamento. Não importa se falamos de educar os filhos, de capacitar um profissional ou do processo de instrução espiritual apresentado nas Escrituras, a repetição sempre está lá. Penso que foi justamente por isso que Paulo afirmou aos crentes de Filipos: "Escrever de novo as mesmas coisas não é um problema para mim e é segurança para vocês" (Fp 3.1). Um pouco adiante, no mesmo capítulo, o apóstolo reconheceu que "repetidas vezes eu lhes dizia e agora digo..." (Fp 3.18). A repetição estava tanto no passado quanto no presente; ou seja, ela seguia sendo aplicada.

Provavelmente, essa deve ser a mesma razão que levou o escritor de Hebreus a asseverar: "importa que nos apeguemos, com mais firmeza, às verdades ouvidas, para que delas jamais nos desviemos" (Hb 2.1). Verdades não são ditas apenas para que sejam conhecidas, no sentido de meramente absorver informação, mas, também, para que gerem convicção e firmeza de mente. É só assim que o comportamento é impactado.

Meu ponto aqui é: tudo começa com mudança de mentalidade, mas mudança de mentalidade não começa sozinha nem se sustenta sem um esforço intencional. Se precisamos dela, temos de fazer algo a respeito. Minha proposta é que esse "algo a respeito" seja sua disposição de ler, meditar, orar e compartilhar sobre a verdade bíblica que já comecei a expor aqui e pretendo aprofundar capítulo a capítulo, até que seja gerada uma firme convicção em seu interior. Isso transbordará, virá para fora, mudando comportamentos e gerando novos e bons hábitos. A diferença é que, por ter sido construído sobre uma base firme, não desmoronará com facilidade nem cederá às pressões do tempo.

## Para onde estamos indo?

A probabilidade de muitos terem uma saúde debilitada num futuro próximo é assustadora. A pesquisa Vigitel 2021, realizada pelo Ministério da Saúde, constatou que quase seis em cada dez brasileiros (57,25%) estavam com sobrepeso naquele ano. Em 2019, antes da pandemia, a taxa era menor, de 55,4%. A condição era maior entre homens (59,9%) do que entre mulheres (55%). Já na distribuição por faixas etárias, o problema era mais incidente nas faixas de 45 a 54 (64,4%), 55 a 64 (64%) e 35 a 44 (62,4%).[1]

Os dados são assustadores. E pior: crescem ano após ano. Ainda assim, a maioria da população não se dá conta do perigo iminente, e nós, cristãos, além de abraçarmos a mesma negligência, ainda "espiritualizamos" o assunto e nossas desculpas. Ignoramos as advertências divinas e, ao mesmo tempo, transferimos para o Criador a responsabilidade de abençoar-nos com saúde, vivendo contraditoriamente em deliberada negligência do cuidado do corpo.

[1] Jonas Valente, "Mais da metade dos brasileiros estava com sobrepeso em 2021", *Agência Brasil*, 8 de abril de 2022, <https://agenciabrasil.ebc.com.br/saude/noticia/2022-04/mais-da-metade-dos-brasileiros-estava-com-sobrepeso-em-2021>.

Que o Senhor nos ajude a entender e enxergar essas verdades de modo a cuidar melhor de nós mesmos. Dessa maneira, poderemos honrá-lo em tudo, inclusive na maneira como nos alimentamos. Como disse o apóstolo Paulo: "Portanto, se vocês comem, ou bebem ou fazem qualquer outra coisa, façam tudo para a glória de Deus" (1Co 10.31). Será que a forma como nos alimentamos tem glorificado nosso Criador e Senhor?

## Guardar é princípio

Uma advertência digna de nota é a que nosso Senhor fez à igreja de Filadélfia: "Venho sem demora. *Guarda bem* o que tens, para que ninguém tome a tua coroa" (Ap 3.11, TB). Nossa responsabilidade como guardiões daquilo que temos recebido de Deus é claramente enfatizada nesse texto.

A palavra traduzida por "guarda bem" na Tradução Brasileira também é vertida como "conserva", na Nova Almeida Atualizada, e "retenha", na Nova Versão Internacional. No grego, o termo usado é *krateó* e significa "ter poder, apoderar-se, controlar, reter".[2] Ou seja, além da ideia de segurar, manter sob controle, sem risco de perda, ainda há o conceito de governo relacionado ao assunto.

Entretanto, governar bem nossa vida e guardar o que temos não são ordenanças que se limitam somente a dádivas espirituais. Nossa saúde também deve ser guardada e, como veremos, é *nossa* responsabilidade, não de Deus!

A maneira como terminaremos nossos dias neste mundo — e a duração de nossa vida — está estreitamente ligada às escolhas que fazemos. Um comentário que Jacó faz, no fim de sua vida, chama a atenção:

> José levou Jacó, seu pai, e o apresentou a Faraó; e Jacó abençoou Faraó. Então Faraó perguntou a Jacó:
>
> — Quantos anos o senhor já tem?
>
> Jacó lhe respondeu:
>
> — São cento e trinta anos de peregrinação. Foram *poucos e maus os anos de minha vida* e *não chegam aos anos de vida de meus pais*, nos dias das suas peregrinações.
>
> Gênesis 47.7-9

[2] Bible Hub, verbete *krateó*, G2902, <https://biblehub.com/greek/2902.htm>.

Ao mencionar sua idade e observar que vivera bem menos que seus pais, o patriarca classificou seus anos como "poucos e maus". Questiono-me o quanto o estilo de vida de Jacó, diferentemente do de Abraão e Isaque, pode ter afetado sua saúde e, consequentemente, seu tempo de vida. Referindo-se aos vinte anos em que trabalhou com Labão, ele reconheceu: "De maneira que eu andava, de dia consumido pelo calor, de noite, pela geada; e o meu sono me fugia dos olhos" (Gn 31.40).

Devemos nos questionar: estamos guardando ou desperdiçando a saúde que nos foi concedida? Guardar o que recebemos é princípio bíblico. Paulo, escrevendo a Timóteo, exortou: "*guarde* o que lhe foi confiado" (1Tm 6.20). Dirigindo-se aos filipenses, o apóstolo enfatiza que eles estavam "*preservando* a palavra da vida" (Fp 2.16). Cristo advertiu a igreja de Sardes: "Lembre-se, pois, do que você recebeu e ouviu; *guarde-o*" (Ap 3.3). Se é necessário guardar as dádivas espirituais, por que concluiríamos ser diferente com a dádiva divina da *saúde*?

Recentemente, um pastor amigo, Humberto Albuquerque, de Recife, comentou que foi assim abordado por alguém que percebeu sua dedicação ao cuidado da saúde: "Você está se cuidando por quê? Está com medo de morrer?". Amei a resposta que ele me confidenciou ter dado: "Não, de forma alguma. Não tenho nenhum medo de morrer, só não quero ser o responsável por isso".

Convido-o, portanto, a abrir o coração para essa jornada de aprendizado e autoavaliação. Deixe que a Palavra de Deus e o Espírito Santo mudem sua mente e a despertem para a responsabilidade de cuidar do corpo e da saúde. Afinal, ele tem propósitos para o seu tempo de vida neste mundo, e estar saudável para executá-los demanda que você faça o que estiver ao seu alcance.

# 2

# ESPIRITUALIDADE EXAGERADA

E, depois de jejuar quarenta dias e quarenta noites, teve fome.

MATEUS 4.2

Em 2007, quando eu já havia atingido o auge de meu peso, uma amiga de nossa família, Roselen Faccio, que iniciou e lidera o Ministério Sabaoth, com base em Milão e com dezenas de igrejas espalhadas pela Itália e outros países, fez-nos uma visita em Curitiba. Outra irmã, uma médica, acompanhava-a na ocasião. Tão logo entrou em minha casa, a expressão de susto ao reparar meu *tamanho* não pôde ser disfarçada. Ela foi direto ao assunto:

— Pastor, perdoe-me... Você sabe que eu sou médica, e não posso deixar de externar minha preocupação com o fato de que você está cada vez mais pesado. Por isso, preciso perguntar: você fez algum check-up médico recentemente?

— Sim, fiz um há uns dois meses — respondi.

— Quais foram os resultados? — indagou ela.

— Excelentes! Está tudo bem...

Diante de sua cara de descrença, pedi que minha esposa buscasse os exames, o que ela dispensou, dizendo não ser necessário. Depois de questionar se o check-up havia sido conduzido por um cardiologista e se as taxas de colesterol, triglicerídeo, glicose e pressão sanguínea estavam mesmo em ordem, eu garanti que sim, enfatizando:

— Está tudo perfeito.

— E o que seu médico lhe disse? — ela indagou.

Eu, todo orgulhoso, respondi:

— Ele jogou meus exames na mesa, visivelmente aborrecido, e disse que eu tinha mais sorte do que juízo. Que achava surpreendente que alguém com mais de 150 quilos estivesse com resultados tão bons.

Naquele momento, com toda a franqueza, ela replicou:

— Pastor, perdoe-me por discordar da fala desse médico. Você não está tendo sorte. Só está *ganhando tempo*! É que você ainda é novo — eu estava com 34 anos na época — e ainda não deu tempo de as consequências de seu descuido se manifestarem.

Ela arrematou a conversa com uma frase que aguilhoou minha consciência pelos anos seguintes:

— O corpo é como um cartão de crédito. Primeiro você o usa, e depois chega a fatura, cobrando aquilo que você gastou. Por enquanto, você só está gastando, e muito. Mas eu garanto que, daqui a pouco, a fatura chegará, e chegará bem alta!

Ainda tentei lutar contra aquilo, resmungando em meu íntimo: "Que nada! Eu sou um homem de Deus!", como se exercer fé fosse uma forma de anular leis criadas pelo próprio Deus para serem respeitadas e obedecidas na dimensão natural. Eu, naquela época, achava que podia ser irresponsável e, depois, pela fé, abortar a colheita de minha semeadura de negligência quanto ao cuidado do corpo. Como podemos ser tão insensatos e ainda espiritualizar nossos erros? Cerca de dois anos depois daquela conversa, a tal da "fatura" chegou. E ela veio mais rápido do que eu esperava. Como já afirmei, primeiro chegou a conta da pressão alta e, pouco depois, a fatura do diabetes. Fiquei chocado! Descobri que, mesmo sendo um homem de Deus, eu era vulnerável às consequências de minhas escolhas. Percebi tardiamente — ainda que não tarde demais — que meu corpo sofreria os resultados das leis naturais sob as quais fora criado para viver, e portanto não era certo tratar o assunto com uma *espiritualidade exagerada*.

Com o choque daquela constatação, resolvi ouvir os conselhos médicos e mudar a maneira de me alimentar. Cortei a ingestão de açúcar, diminuí drasticamente o consumo de trigo refinado (o que incluía pães e massas), passei a dar preferência a legumes e saladas e, em cerca de um ano, perdi quase trinta quilos.

Embora não fosse todo o peso que eu deveria eliminar, foi o suficiente para normalizar a pressão e o açúcar no sangue. Perdi peso e melhorei a saúde. A parte ruim eu já contei: acomodei-me por cerca de quatro anos àquele novo peso, até que outras circunstâncias voltassem a chacoalhar tudo.

Antes de seguir com essa história, é necessário enfatizar os danos que o engano da espiritualidade exagerada tem trazido a muitos, como trouxe a mim. Nós já aprendemos o caminho: temos de expor a mente à verdade da Palavra de Deus para, assim, ser possível reprogramá-la. Vamos ao que a Bíblia diz a esse respeito.

## O ser completo

A constituição plena do ser humano envolve partes distintas. Observe o que Paulo escreveu aos tessalonicenses:

> O mesmo Deus da paz os *santifique em tudo*. E que o espírito, a alma e o corpo de vocês sejam conservados íntegros e irrepreensíveis na vinda de nosso Senhor Jesus Cristo.
>
> 1Tessalonicenses 5.23

A palavra grega que Paulo usou nesse versículo, traduzida por "em tudo", é *holotelés*, que significa "perfeito, completo em todos os aspectos".[1] O conceito é de uma santificação completa, o que se confirma em outras traduções: "os santifique *inteiramente*" (NVI) ou "os torne santos *em todos os aspectos*" (NVT).

O que compõe o ser humano inteiro? Quais são as partes do todo? O apóstolo declarou que o ser humano completo é composto por espírito, alma e corpo — isto é, temos aqui o que na teologia é classificado como *tricotomia*, a divisão tríplice de nosso ser integral. Por conseguinte, entende-se do recado aos tessalonicenses que a santificação total abrange as três partes que integram o ser humano.

Em outra epístola, Paulo elucida um pouco mais o assunto ao separar a impureza da carne e a do espírito (sem mencionar a alma, o que abordaremos a seguir). Ele enfatiza que deve existir um trabalho de purificação

[1] Bible Hub, verbete *holotelés*, G3651, <https://biblehub.com/greek/3651.htm>.

tanto de uma quanto de outra parte, ou seja, não se trata de santificação por atacado. A isso Paulo chamou de *aperfeiçoamento* da santidade:

> Portanto, meus amados, tendo tais promessas, purifiquemo-nos de toda impureza, *tanto da carne como do espírito*, aperfeiçoando a nossa santidade no temor de Deus.
>
> 2Coríntios 7.1

Se o processo de aperfeiçoar a santidade implica lidar com impurezas em partes distintas até que sejamos santificados *holotelés* (completamente), é imprescindível enxergar e compreender a tripartição humana e suas particularidades.

E isso pode ser visto nos detalhes que a Bíblia apresenta quando descreve a criação do homem:

> Então, formou o SENHOR Deus ao homem do pó da terra e lhe soprou nas narinas o fôlego de vida, e o homem passou a ser *alma vivente*.
>
> Gênesis 2.7, ARA

O relato bíblico da criação revela a partição do ser humano. Deus fez um boneco de barro (aqui se originou o *corpo*), soprou nele o fôlego de vida (aqui se originou o *espírito*) e então, da combinação destes, resultou aquilo que define o homem (aqui se originou a *alma* vivente).

Desde o início de todas as coisas, já vemos essa constituição tripla. Há aqueles que defendem a *dicotomia* (segundo a qual os termos "alma" e "espírito" são usados de forma intercambiável para definir a mesma parte), contudo quero mostrar, com base nas Escrituras, a verdade da *tricotomia* humana.

> Por isso, não desanimamos; pelo contrário, mesmo que o nosso *homem exterior* se corrompa, contudo, o nosso *homem interior* se renova de dia em dia.
>
> 2Coríntios 4.16, ARA

Nesse trecho da carta aos coríntios, Paulo destaca somente duas partes: o homem *interior* e o homem *exterior*. No entanto, a aparente dicotomia se dissolve quando olhamos para outras informações complementares da Palavra de Deus, que nos mostram uma subdivisão do homem interior em espírito e alma. Ou seja, temos, sim, homem *exterior* e *interior*, mas não apenas isso, porque o lado de dentro também é apresentado como sendo de constituição dupla. Observe outros versículos:

> Com *minha alma* suspiro de noite por ti
> e, com o *meu espírito* dentro de mim,
> eu te busco ansiosamente.
>
> Isaías 26.9

> Então Maria disse: "A *minha alma* engrandece ao Senhor, e o *meu espírito* se alegrou em Deus, meu Salvador".
>
> Lucas 1.46-47

> Porque a palavra de Deus é viva e eficaz, e mais cortante do que qualquer espada de dois gumes, e penetra *até o ponto de dividir alma e espírito*, juntas e medulas, e é apta para julgar os pensamentos e propósitos do coração.
>
> Hebreus 4.12

O trecho de Hebreus, em especial, ilustra bem a separação. Juntas e medulas estão próximas, mas são distintas. O mesmo conceito é verdadeiro quanto a espírito e alma: estão juntos, mas são diferentes um do outro e, ainda, podem ser separados.

Essa subdivisão do homem interior também é constatada na tipologia do tabernáculo de Moisés. Considerado o lugar da habitação de Deus, ele possuía duas partes visíveis: a coberta (a tenda da congregação) e a descoberta (átrio exterior). Contudo, seria equivocado chamá-lo de bipartido, visto que a tenda da congregação, por sua vez, era composta por dois ambientes: o lugar santo e o santo dos santos (ou lugar santíssimo), separados apenas por um véu. Hoje, o homem é chamado nas Escrituras de "morada de Deus" (Ef 2.22) e "santuário de Deus" (1Co 3.16), pois o Espírito Santo nele habita. O ser humano é o atual tabernáculo do Senhor. Assim como o interior do tabernáculo de Moisés, o interior do tabernáculo humano também é subdividido em duas partes: espírito e alma.

Em suma, o que as Escrituras ensinam é que somos homem exterior (corpo) e homem interior (alma e espírito). Em ordem de relevância: espírito, alma e corpo. Somos tripartidos, divididos em três partes distintas, e a obra santificadora também difere em cada uma delas, pois são partes distintas que requerem atenção e cuidados distintos.

## Espiritual *versus* natural

Nosso entendimento sobre o homem integral (espírito, alma e corpo) inevitavelmente afetará nossa maneira de lidar com aspectos práticos da vida cristã. Durante muito tempo, questões que muitos cristãos não consideravam espirituais eram classificadas como sem valor. No entanto, o homem não é somente um ser espiritual; ele também é constituído de alma e corpo, e nessas duas dimensões há necessidades que não serão supridas apenas pelo que é espiritual.

Por exemplo, Adão, o primeiro homem, quando estava no Éden, antes da queda, encontrava-se em perfeita comunhão com Deus, que o visitava diariamente. Ele não tinha nenhuma necessidade espiritual não suprida. Contudo, as Sagradas Escrituras nos mostram que o próprio Criador reconheceu que o homem estava solitário, de modo que decidiu criar-lhe uma companhia, uma esposa (Gn 2.18). A verdade, assentida pelo próprio Deus, é que havia no ser humano uma solidão que não poderia ser preenchida por aquilo que é espiritual; o que o homem apresentava era uma necessidade distinta, na esfera *emocional*.

Semelhantemente, encontramos na Palavra outra questão que envolve o corpo, e não somente o espírito e a alma. O Senhor ordenou ao homem que se alimentasse das árvores do jardim do Éden, com exceção das árvores da vida e do conhecimento do bem e do mal. Ninguém questiona se Adão, por ocasião da criação e antes da queda, estava ou não plenamente suprido na dimensão espiritual. De igual modo, nenhum de nós deixa de admitir que Adão também precisava de alimento, uma vez que seu corpo terreno não sobrevivia apenas de recursos espirituais.

Outro exemplo bíblico que sustenta a mesma lógica é o episódio da tormenta que levou ao naufrágio o navio que conduzia Paulo a Roma, onde seria julgado por César.

> Enquanto amanhecia, Paulo *rogava a todos que se alimentassem*, dizendo:
>
> — Hoje é o décimo quarto dia em que, esperando, vocês *estão sem comer, não tendo provado nada*. Por isso *peço que comam* alguma coisa, *pois disto depende a*

*sobrevivência de vocês.* Porque nenhum de vocês perderá nem mesmo um fio de cabelo.

Atos 27.33-34

Cabe recordar que Deus havia alertado Paulo, por meio de um anjo, de que haveria livramento e salvação para o iminente naufrágio. Isso, além de ser uma excelente notícia, mostrava a vontade e o compromisso divino de salvá-los da morte prematura. Contudo, o pedido do apóstolo aos tripulantes para que se alimentassem revela que, mesmo havendo a promessa de livramento sobrenatural da morte por acidente, eles poderiam, sim, morrer devido à saúde debilitada. Se isso acontecesse, os únicos responsáveis seriam eles mesmos, e não Deus.

Não podemos confundir aquilo que recebemos do Senhor por meio de recursos espirituais com aquilo que, por ser natural, é de nossa inteira responsabilidade. Mesmo sabendo que Deus salvaria aquelas vidas, o apóstolo insistiu que cada um realizasse a parte natural; ou seja, que comessem.

Depois que o navio encalhou e começou a ser destruído, o comandante "ordenou que os que *soubessem nadar* fossem os primeiros a lançar-se ao mar e alcançar a terra" (At 27.43). E os que não sabiam nadar? Para eles, a instrução foi "que se salvassem, uns, em tábuas, e outros, em destroços do navio" (At 27.44). Ninguém espiritualizou a *forma* de alcançar o livramento prometido. Ninguém disse: "Se foi Deus que prometeu, que ele nos salve! Nós nos recusamos a nadar ou boiar agarrados em destroços, porque a intervenção tem de ser espiritual". Nada disso: eles aceitaram a combinação de uma *provisão espiritual* de livramento com *atitudes práticas* que efetivassem o livramento. O resultado está registrado nas Escrituras: "E foi assim que todos se salvaram em terra" (At 27.44).

A história mostra que a Igreja, ao longo dos séculos, desprezou assuntos que não considerava espirituais. Por muito tempo, por exemplo, a questão da vida sexual dos casais não era abordada nem ensinada aos crentes, a não ser para destacar algo carnal, impuro e pecaminoso. A atual geração deveria erguer as mãos aos céus em gratidão pelo que se entende e ensina nessa área hoje em dia. Alguns desses equívocos só começaram a ser ajustados quando se passou a enxergar o homem como mais que um espírito; ele também é constituído de alma e corpo. Estamos crescendo, mas ainda há muito engano a ser confrontado.

## O que é da carne é carne

Um texto bíblico que chamou minha atenção enquanto refletia sobre o desequilíbrio entre o que definimos como "espiritual" e "carnal" se encontra em João, no relato da conversa de Jesus com Nicodemos, homem chamado de "mestre" em Israel:

> Havia entre os fariseus um homem chamado Nicodemos, um dos principais dos judeus. Este, de noite, foi até Jesus e lhe disse:
>
> — Rabi, sabemos que o senhor é Mestre vindo da parte de Deus, porque ninguém pode fazer estes sinais que o senhor faz, se Deus não estiver com ele.
>
> Jesus respondeu:
>
> — Em verdade, em verdade lhe digo que, se alguém não nascer de novo, não pode ver o Reino de Deus.
>
> Nicodemos perguntou:
>
> — Como pode um homem nascer, sendo velho? Será que pode voltar ao ventre materno e nascer uma segunda vez?
>
> Jesus respondeu:
>
> — Em verdade, em verdade lhe digo: quem não nascer da água e do Espírito não pode entrar no Reino de Deus. *O que é nascido da carne é carne, e o que é nascido do Espírito é espírito.* Não fique admirado por eu dizer: "Vocês precisam nascer de novo".
>
> João 3.1-7

A conversa gira em torno da verdade do novo nascimento, uma questão que Nicodemos, a princípio, não conseguia entender; na visão dele era necessário voltar ao ventre materno e repetir o nascimento natural. Para esclarecer seu equívoco, Jesus explica que "o que é nascido da carne é carne, e o que é nascido do Espírito é espírito". O novo nascimento é essencialmente espiritual, e essa dimensão espiritual deve ser entendida e desenvolvida em nossa vida. Contudo, isso não muda o outro aspecto destacado por Cristo: "o que é nascido da carne é carne". Não deixamos de ser seres físicos, naturais, só porque, espiritualmente, nascemos de novo.

O novo nascimento não muda nossa condição física. Se alguém era obeso antes do novo nascimento, não o deixa de ser, instantaneamente, só porque nasceu de novo. Isso também se dá com nossa altura, nosso cabelo e qualquer outro detalhe de nosso corpo físico.

As experiências espirituais não anulam a simplicidade da vida natural, que, assim como o âmbito espiritual, também funciona debaixo dos princípios que Deus estabeleceu. O fato de Jesus ser o Filho de Deus, por exemplo, não o isentou de lidar com as necessidades físicas enquanto esteve em um corpo terreno. Jesus teve *fome* (Mt 4.2). Teve *sede* (Jo 19.28). Sentiu *cansaço* (Jo 4.6). E precisou oferecer a seu corpo natural os devidos cuidados: Jesus teve de *comer* e *beber* (Lc 7.34), *descansar* e *dormir* (Mt 8.24). Não podemos espiritualizar essas questões. Fazê-lo seria insensatez. Nossas necessidades espirituais demandam atenção da mesma forma que as naturais, mas cada esfera tem sua própria provisão e, obviamente, uma não supre a outra.

Observe o que Cristo disse na ocasião em que Satanás o tentou a transformar pedras em pães:

> — Está escrito: "O ser humano não viverá *só de pão*, mas de toda palavra que procede da boca de Deus".
>
> Mateus 4.4

Jesus não disse que as pessoas não precisam de pão para alimentar-se. Ele disse que as pessoas não vivem *só* de pão, mas *também* da Palavra de Deus. Ou seja, o espírito necessita de alimento espiritual, o pão divino, a Palavra de Deus, enquanto o corpo precisa do pão terreno. São dimensões distintas, e cada uma tem necessidade própria de provisão alimentar. Não podemos inverter as coisas; o pão terreno não tem o propósito de alimentar o espírito, assim como a Palavra de Deus não tem o propósito de alimentar o corpo. Apesar da simplicidade dessas constatações, muitos, na prática, por meio de seu estilo de vida, parecem ignorá-las completamente.

## Cuidados naturais

Encontramos na Bíblia um conselho de Paulo a Timóteo sobre não espiritualizar aquilo que é natural:

> Não beba *somente* água; beba *também* um pouco de vinho, por causa do seu estômago e das suas frequentes enfermidades.
>
> 1Timóteo 5.23

Sabemos que Deus é um Deus que cura. Um dos nomes com os quais ele se revela nas Escrituras é *Jeová-Rafá*, que significa "O SENHOR que sara" (Êx 15.26). Há promessas e relatos de cura em toda a Bíblia, bem como na vida e no ministério de Paulo. Entretanto, não vemos o apóstolo aconselhando seu discípulo a *apenas* orar e aplicar fé para resolver o problema. Também não encontramos nenhuma indicação de que Paulo tenha orado pelo assunto. Ele tão somente deu um conselho *prático*.

Especula-se que o motivo de acrescentar vinho à ingestão de bebidas devia-se à má qualidade da água onde Timóteo se encontrava. Isso, porém, é mera inferência; a verdade é que não sabemos ao certo qual foi o motivo. Talvez a enfermidade nem fosse oriunda de um problema com a água. Entretanto, o que sabemos com certeza é que Timóteo sofria de um problema natural, físico, uma enfermidade frequente. Então, o apóstolo sugeriu uma forma natural de resolver a questão. Por quê? Porque não havia necessidade de *espiritualizar* aquela situação. Hernandes Dias Lopes, comentando a primeira epístola de Paulo a Timóteo, afirma:

> Timóteo era um jovem tímido e doente. Cuidava dos outros, mas estava descuidando de si mesmo. Precisava dar atenção à sua saúde para poder cuidar da igreja. As pressões do ministério são enormes, e Timóteo estava à frente da maior igreja da época, a igreja de Éfeso. Éfeso era a capital da Ásia Menor, uma cidade complexa e com muitos desafios. Os falsos mestres perturbavam a igreja, e Timóteo precisava lidar com essas pressões que vinham de fora e também com as tensões que vinham de dentro da igreja. O desgaste emocional e os reflexos que esse desgaste tinham na saúde de Timóteo levaram Paulo a orientar o jovem pastor a cuidar de sua saúde. O ideal romano era uma mente sã num corpo são.
>
> [...] os efeitos benéficos do vinho como remédio contra distúrbios dispépticos, tônico e forma de contrabalancear os efeitos da água impura eram geralmente reconhecidos na Antiguidade. O vinho era usado tanto para doenças físicas como emocionais (Pv 31.6). O pai da medicina, Hipócrates, recomendava doses moderadas de vinho a pacientes para os quais a água sozinha faria mal ao estômago. Plutarco declara que o vinho é a mais útil das bebidas e o mais agradável dos remédios. Paulo é enfático em dizer que Timóteo, por motivos terapêuticos, deveria usar *um pouco* de vinho, e não *muito* vinho.

É claro que este texto não pode e nem deve ser usado para justificar o consumo de álcool. Paulo se refere a cuidados medicinais e não a uma licença para beber. De acordo com William Barclay, "Paulo simplesmente está dizendo que não há nenhuma virtude em um ascetismo que faz ao corpo mais mal do que bem".[2]

Semelhantemente, hoje em dia também há muitas enfermidades e problemas de saúde que poderiam ser resolvidos com ajustes de alimentação, sono e exercício físico. Contudo, insistimos em tratar questões naturais de forma espiritual.

Um pastor que conheci sofreu com diabetes por anos, sempre pedindo oração por isso. Os médicos diziam que a prática de exercícios físicos ajudaria, e ele tentou: decidiu fazer caminhadas diárias. Fez por um tempo, e nada, nenhuma melhora. Deduziu, assim, que não funcionava. Um dia, outro médico propôs que ele fizesse um teste: aumentar a dose de exercícios até chegar a duas horas diárias de caminhada. Resultado: ele ficou completamente curado!

Não nego, de forma alguma, o poder curador de Cristo. Tenho testemunhado intervenções divinas por anos, tanto em minha vida como na de muitas outras pessoas. À luz do ensino bíblico, contudo, não posso aceitar que a única forma de melhorar a saúde seja por meios espirituais, especialmente quando a pessoa optou por viver em deliberada negligência quanto aos princípios de cuidado do corpo instituídos pelo próprio Criador.

Eu mesmo ignorei, durante anos, os sábios conselhos sobre cuidado do corpo que muitos me davam. Por quê? Porque cometi a insensatez de imaginar que, por ser um homem de Deus, não teria problemas de saúde. É verdade que contamos com provisão divina de cura e saúde para nosso corpo. Paralelamente, contudo, também é verdade que temos a responsabilidade de cuidar do corpo para evitar problemas.

Quando Cristo foi ressuscitar Lázaro, deu primeiro uma ordem aos homens que lá estavam. Essa voz de comando precisou ser obedecida antes que se realizasse o milagre:

> Então Jesus ordenou:
>
> — *Tirem a pedra.*
>
> Marta, irmã do falecido, disse a Jesus:
>
> — Senhor, já cheira mal, porque está morto há quatro dias.

[2] Hernandes Dias Lopes, *Comentário expositivo do Novo Testamento: Atos e epístolas paulinas* (São Paulo: Hagnos, 2019), p. 2224-2225.

> Jesus respondeu:
> — Eu não disse a você que, se cresse, veria a glória de Deus?
> *Então tiraram a pedra.* E Jesus, levantando os olhos para o céu, disse:
> — Pai, graças te dou porque me ouviste.
>
> João 11.39-41

Para mim, a lição é clara. Aprendi isso com meu pai, quando ainda era garoto. Jesus não tirou a pedra; mandou que os homens fizessem isso. Há duas verdades reveladas aqui: uma fala da responsabilidade humana, a outra, do poder divino. Servimos a um Deus de intervenções sobrenaturais. Essa é uma verdade maravilhosa. Jesus ressuscitou um homem que estava morto havia quatro dias, já cheirando mal. Um milagre espetacular! Entretanto, mesmo dispondo-se a fazer aquilo que nenhum ser humano poderia fazer, Jesus se recusou a fazer aquilo que o homem poderia fazer.

Muitos cristãos, porém, não têm compreendido nem vivido dessa forma. Querem desfrutar de cura e saúde unicamente por meio de intervenção divina, sem que precisem fazer sua parte de cuidar do corpo.

## Sabedoria da prevenção

Melhor do que a possibilidade de apenas corrigir determinados problemas é saber que podemos preveni-los. De igual modo, mais importante do que buscar a intervenção divina em nossa saúde é saber preservá-la. "É melhor prevenir do que remediar", já diziam os antigos.

Há várias questões práticas da vida natural que não devem ser espiritualizadas. A relação íntima do casal é uma delas. A Bíblia nos revela que precisamos dar a devida manutenção a esse aspecto da relação conjugal. E não se faz isso de forma espiritual, mas de maneira prática, natural:

> *Não se privem um ao outro,* a não ser talvez por mútuo consentimento, por algum tempo, *para se dedicarem à oração.* Depois, retomem a vida conjugal, para que Satanás não tente vocês por não terem domínio próprio.
>
> 1Coríntios 7.5

As Sagradas Escrituras orientam os cristãos de forma bem clara nessa matéria: um casal não deve se privar de sua vida de intimidade física, sexual — esse é o contexto da afirmação de Paulo aos coríntios. A orientação divina explicou, ainda, a exceção: só se justifica uma pausa na intimidade quando há *mútuo consentimento* dos cônjuges, por um *breve intervalo* e para *se dedicar à oração*. Contudo, ainda que o motivo seja uma busca mais intensa de Deus, Paulo instrui o casal a não alongar demasiadamente a pausa, para evitar que Satanás explore uma possível falta de controle sobre o desejo não satisfeito de um dos cônjuges.

Sempre ouvi que a forma de manter o diabo longe era por meio da oração, e isso é verdadeiro. Entretanto, quando o assunto é o casamento e a relação íntima dos cônjuges, a Palavra de Deus nos revela que, apesar da oração, a *negligência* de cuidado com as necessidades sexuais do cônjuge abrirá uma porta para a tentação de Satanás em vez de mantê-lo longe. Isso é muito sério!

Se o casal quiser espiritualizar sua relação e viver só de oração, acabará criando um ambiente de vulnerabilidade que poderá destruí-lo. Isso, é claro, não diminui o valor da oração, mas mostra que devemos entender a responsabilidade de, *também*, cuidar de forma bem prática daquilo que é natural. O fato de Deus desejar abençoar espiritualmente o matrimônio não dá a ninguém o direito de negligenciar a responsabilidade de cuidado físico e emocional com o cônjuge. Igualmente, o fato de Deus ter feito promessas de cura e saúde não nos dá o direito de negligenciar o cuidado com nosso próprio corpo.

Observe outro exemplo dessa praticidade da vida natural, que é a ordem divina para a *prevenção de acidentes* em uma casa:

> Quando você construir uma casa nova, *faça um parapeito no terraço*, para que você não traga culpa de sangue sobre a casa, se alguém de algum modo *cair do terraço*.
>
> Deuteronômio 22.8

Apesar de a Bíblia conter promessas de proteção para o povo de Deus, nela também há ordens de prevenção e cuidado. O Senhor estabeleceu um princípio claro: se a casa tem terraço, precisa ter parapeito também. Para quê? Para evitar acidentes.

A prevenção é prática, e não pode ser ignorada pelo fato de existir uma provisão espiritual de proteção. Não há na Bíblia orientação para que pessoas fiquem orando para que outras não caiam do terraço; a instrução divina é para que se construam parapeitos. É importante ressaltar que, se alguém caísse por falta de parapeito e viesse a machucar-se ou falecer, a culpa do sangue viria sobre o dono da casa que não preveniu o acidente.

Apesar disso, muitos têm se recusado a "construir parapeitos" em diversas áreas da vida e, tristemente, ainda atribuem os acidentes à vontade de Deus, como se tudo fosse inevitavelmente regido apenas por um "plano superior divino", e não pelas próprias escolhas individuais. E o pior é que agimos assim muito embora Deus tenha mostrado claramente como os acidentes poderiam ser evitados. Temos uma responsabilidade para com a prevenção, e ela é nossa, não de Deus.

## Tentar Deus

Quando Jesus foi tentado no deserto, uma das propostas do maligno foi que Cristo espiritualizasse o que é natural. Observe:

> Então o diabo levou Jesus à Cidade Santa, colocou-o sobre o pináculo do templo e disse:
>
> — Se você é o Filho de Deus, jogue-se daqui, *porque está escrito*:
>
> "Aos seus anjos ele dará ordens
> a seu respeito.
> E eles o sustentarão
> nas suas mãos,
> para que você não tropece
> em alguma pedra."
>
> Mateus 4.5-6

Qual foi a proposta do diabo?

Ele insinuou que uma promessa divina de proteção poderia ser usada em caso de negligência humana para com a responsabilidade, e o bom senso, de proteger a si mesmo.

Por que Satanás fez tal proposta?

Para tentar destruir o Messias, mesmo objetivo que tem para conosco — o que se torna possível, quando caímos nesse tipo de engodo.

Como Jesus, nosso referencial, lidou com o assunto?

Atente para a resposta de nosso Senhor:

> Respondeu-lhe Jesus: Também está escrito: *Não tentarás o Senhor*, teu Deus.
>
> Mateus 4.7, ARA

Negligenciar a devida — e prática — prevenção a acidentes em nome da fé e confiança no cuidado divino é classificado, nas Escrituras, como *tentar* a Deus. É o que está registrado na Bíblia. Paulo afirmou aos romanos que "tudo o que no passado foi escrito, para o nosso ensino foi escrito" (Rm 15.4). Deveríamos aprender com essas lições bíblicas, em vez de tentar o Senhor com nossas negligências espiritualizadas.

Nosso comportamento denuncia no que acreditamos: que as promessas divinas farão tudo por conta própria, mesmo que não cuidemos de nosso corpo. Então, simplesmente não fazemos nada em prol de nossa saúde. Estamos tentando a Deus quando agimos assim! Com efeito, precisamos parar de espiritualizar aquilo que é natural.

Muitas desgraças poderiam ser evitadas caso agíssemos corretamente. Simples assim. Muitos crentes creditam ao Senhor e a suas escolhas soberanas a razão de toda e qualquer tragédia na vida deles. Atribuem e transferem a Deus a responsabilidade por tudo o que os acomete. A Palavra de Deus não concorda com isso; pelo contrário, mostra que há circunstâncias que enfrentamos desnecessariamente pelo simples fato de não darmos ouvidos à advertência divina. Foi o que o apóstolo Paulo reconheceu a bordo daquele navio, que, depois de uma grande tempestade, acabou naufragando próximo à Ilha de Malta:

> Havendo todos estado muito tempo sem comer, Paulo, pondo-se em pé no meio deles, disse:
>
> — Senhores, na verdade, era preciso terem-me atendido e não partir de Creta, para *evitar este dano e perda*.
>
> Atos 27.21

O apóstolo havia advertido a não seguir viagem, mas o centurião responsável deu mais crédito ao dono do navio e ao piloto (At 27.9-11). Ainda que o Senhor tenha tirado proveito daquela situação (houve evangelização dos moradores da ilha por meio de Paulo), não significa que precisava ter acontecido daquela forma. Pelo contrário, o apóstolo afirmou que a perda poderia ter sido *evitada*.

Sofri, durante o período em que mantive o excesso de peso, de vários problemas na coluna, o que incluía algumas hérnias. Por meio de intervenção divina, sobrenaturalmente, recebi curas e melhoras, mesmo quando os médicos diziam ser impossível. A cada intervenção divina, eu me tornava ainda mais confiante na atitude errada: não me preocupar com o cuidado de meu próprio corpo. Pensava comigo: "Eu tenho, à minha disposição, cura e saúde divinas".

Certo dia, enquanto orava, fui surpreendido com uma advertência clara do Espírito Santo em meu íntimo: "Eu não suspenderei para sempre as leis da natureza em seu favor". Comecei a perceber, a partir daquele dia, que as manifestações de cura — expressões de amor e misericórdia divinos — não deveriam ser uma desculpa para a deliberada negligência no cuidado do corpo.

Temos de cuidar para não aceitar a sugestão do diabo de tentar o Senhor, isentando-nos de responsabilidade. Podemos estar mascarados com uma espiritualidade exagerada, tendo atrás da máscara faces doentes — que não precisavam estar assim, caso houvesse um cuidado responsável, de ordem natural e prática, com a saúde do corpo. Não é porque somos espirituais e nossa pátria é o céu que podemos negligenciar o corpo que Deus nos deu para cuidar enquanto ainda estamos neste mundo.

Nossas escolhas, principalmente aquelas que tomamos em contrariedade às advertências divinas, trarão consequências. E isso vale para todas as áreas de nossa vida, incluindo a saúde. Falarei mais acerca disso no capítulo a seguir.

# 3

# O CÉU PODE ESPERAR

Estou cercado pelos dois lados, tendo o desejo de partir e estar com Cristo, o que é incomparavelmente melhor. Mas, por causa de vocês, é mais necessário que eu continue a viver.

FILIPENSES 1.23-24

Em novembro de 2013, conheci pessoalmente, em São Paulo, o pastor Paulo Canuto. Já tinha ouvido falar repetidas vezes a seu respeito e de suas experiências com Deus. Aproximei-me dele depois de ter pregado num evento onde ele também seria um dos oradores e, enquanto jantávamos, iniciei a conversa com uma observação sobre o prato que ele havia feito para si — bastante seletivo na escolha do que comer e também na quantidade de comida.

Muito mais para puxar conversa do que esperando que o assunto se desenvolvesse, fiz um comentário relacionado ao prato dele:

— Tá se cuidando, hein?

Ele respondeu com uma pergunta:

— Quantos anos você tem?

Imaginando que receberia um sermão de alguém uns vinte anos mais velho que eu, repliquei um pouco temeroso:

— Completo quarenta e dois anos no mês que vem.

Em lugar do "sermão", veio a explicação:

— Eu perguntei a sua idade porque imaginei mesmo que você estivesse em torno dos quarenta. É que, quando eu tinha quarenta e quatro anos, eu morri.

— Você o quê? — indaguei meio cético.

— Eu morri — ele afirmou categoricamente. E emendou: — Foi registrado o laudo médico da minha morte. — Apontando para Eva, sua esposa, ele declarou: — Ela foi testemunha do ocorrido, além do médico que me atendeu.

Depois de pedir-lhe que me contasse essa impressionante história com mais detalhes, ele passou a narrar o ocorrido, que vou resumir aqui.

— Apesar de ainda novo, meu corpo entrou em falência. Fui levado ao hospital, e lá os médicos me reanimaram por cinco vezes. Nas quatro primeiras vezes, eu voltei. Na quinta vez, já não voltei mais. Foi quando me vi saindo, em espírito, do meu corpo. E assim, nesse estado, assisti a tudo o que aconteceu naquela sala. Minha história confere, em detalhes, com o que o médico e minha esposa presenciaram. Ouvi nitidamente o que o médico disse a Eva quando tirou a aliança do meu dedo e entregou a ela. Vi no relógio da parede o horário em que o laudo da minha morte foi assinado. Tudo o que aconteceu na sala confere exatamente com o que vi. Enquanto estava ali, em espírito, ao lado do meu corpo, o Senhor Jesus apareceu atrás de mim. Não sentia ter permissão para me virar e encará-lo, mas sabia que era ele antes mesmo que ele falasse comigo. Então Cristo falou bem próximo ao meu ouvido: "Você é um suicida. Eu tinha um propósito por cumprir em sua vida, e você conseguiu abortar meus planos por nunca ter cuidado do seu corpo".

Nesse momento eu o interrompi com uma pergunta (motivada pela suspeita de que ele queria censurar meu excesso de peso à época):

— Você estava com sobrepeso? Se sim, pode ser direto comigo e falar abertamente.

Surpreendentemente, ele me respondeu que não. E acrescentou:

— Eu dormia apenas duas a três horas por noite, pois passava a maior parte das minhas noites orando. Jejuava sem sabedoria e sem entendimento, no desejo de ter mais do Senhor em minha vida. Viajava exaustivamente para ministrar aos outros, sem me permitir o devido descanso. Tudo isso porque *achava* que essa era a forma correta de viver intensamente para Deus e agradá-lo.

Eu estava ouvindo aquilo tudo chocado e chacoalhado. E comentei isso com ele. O pastor Canuto, então, afirmou:

— Calma que ainda fica pior... Nessa hora eu tive uma visão do que teria sido o meu velório no dia seguinte. Essa é uma coisa muito estranha de se ver, o seu próprio velório. Eu me vi arrumado no caixão, familiares e amigos chorando, até que alguém se aproximou do meu corpo e comentou: "O Paulo era uma bênção. Por que será que o Senhor o recolheu tão novo?". Foi então que Jesus falou novamente comigo: "Além de abortar meu plano para sua vida, sua falta de cuidado com o próprio corpo faz que, agora, eu seja julgado pelas pessoas. Eu não recolhi você. Foi você que se matou por não ter cuidado devidamente de si mesmo".

E ele finalizou a história dizendo:

— Então eu perguntei a Jesus: "Considerando que ainda estou aqui, e depois de ouvir tudo o que ouvi, isso significa que terei outra chance?".

E, diante do consentimento do Senhor, ele prometeu: "Daqui em diante eu prometo que vou me cuidar". Foi quando voltou a seu corpo e, para surpresa de todos na sala, reviveu.

Acho importante ressaltar que Jesus o advertiu de que ele enfrentaria um longo e doloroso processo de recuperação da saúde como consequência de suas más escolhas no cuidado de seu corpo (ele também foi advertido sobre a importância de selecionar cuidadosamente sua alimentação, priorizando os alimentos naturais, criados por Deus, e evitando os industrializados e processados — mas isso é assunto para outro capítulo).

Toda essa narrativa se deu em resposta à minha pergunta: "Tá se cuidando, hein?". Mas penso que Deus planejou e permitiu essa conversa como mais uma oportunidade para me despertar. Eu estava literalmente atordoado com o que acabara de ouvir. E sei que não foi algo meramente emocional. Não fiquei impressionado *apenas* com a história compartilhada. Algo aconteceu dentro de mim, e não sei descrever com precisão o que houve. Foi como se uma consciência espiritual despertasse. Comecei a pensar em tantos homens de Deus que morreram de modo prematuro, especialmente aqueles que não cuidaram da própria saúde. E, quando me levantei para deixar aquela mesa, prometi a Deus em meu íntimo: "Nunca mais, Senhor, tu terás de chamar minha atenção dessa forma novamente! Reconheço que tenho negligenciado tuas advertências por muitos anos, mas, hoje, arrependo-me disso. Dá-me algum tempo para processar os novos valores que preciso absorver e passarei a viver de forma diferente".

E foi a partir desse momento que me propus seguir perdendo peso e também rever tudo em que eu acreditava sobre o cuidado com a saúde e o corpo. Decidi que iria crescer tanto na compreensão da perspectiva fisiológica, científica, e também, principalmente, no entendimento bíblico dessas verdades, uma vez que devemos viver em função do que a Palavra de Deus ensina.

Esse foi o início de uma jornada de descobertas e de renovação da mente. Foi um divisor de águas em minha vida, e os que me conhecem e acompanham de perto testificam isso.

Um entendimento equivocado nos leva a uma crença equivocada, que por sua vez nos leva a práticas equivocadas. Em contrapartida, um entendimento correto nos leva a uma crença correta, que por sua vez nos leva a práticas corretas. Nosso comportamento negligente com o cuidado do corpo é um dos efeitos colaterais provenientes de crenças erradas. É preciso renovar a mente com os valores da Palavra de Deus! Somente assim nosso comportamento poderá ser ajustado.

Uma das crenças equivocadas que muitos cristãos carregam é a de que nada que façam mudará o plano divino que, supostamente, lhes foi predeterminado. Acreditam que há uma hora marcada para morrer e que nada, absolutamente nada, pode mudar isso. Assim, não conseguem concluir que tenham qualquer responsabilidade por sua longevidade (ou falta dela).

O que, porém, as Sagradas Escrituras têm a dizer sobre isso?

## Há um tempo determinado para nossa morte?

É comum ouvir pessoas afirmando, especialmente no contexto de morte e sepultamento de alguém, o conhecido clichê: "Quando chega a hora de alguém, não há nada que possa mudar isso".

Será que é mesmo verdade?

Há um tempo predeterminado para a morte de cada um?

Não entendo que seja assim. E não digo isso por causa da experiência que compartilhei há pouco, porque nossas convicções de fé não se baseiam em experiências individuais e sim naquilo que as Sagradas Escrituras dizem. Meu propósito, ao contar a experiência do pastor Canuto, foi tão somente testemunhar meu despertamento para essas verdades, bem como ilustrar, na prática, os argumentos bíblicos sobre o assunto que apresentarei neste capítulo.

A meu ver, a noção de um determinismo divino e um fatalismo absoluto tem nos prejudicado sobremaneira. Muitas pessoas não se preocupam em cuidar de si mesmas e de sua saúde porque acreditam que nada do que façam ou venham a fazer pode mudar o dia de sua morte.

É verdade que, na Bíblia, encontramos exemplos de pessoas que Deus recolheu porque assim o quis, como é caso de Enoque (Gn 5.24). Não significa, porém, que todos os que morreram foram recolhidos, em dia e hora específicos, por determinação divina. Além disso, observe que a Bíblia também apresenta a possibilidade de alguém morrer *antes da hora*, prematuramente:

> Não seja demasiadamente perverso, nem seja tolo;
> *por que você morreria antes da sua hora*?
>
> Eclesiastes 7.17

A Nova Versão Internacional (NVI) optou pela expressão "por que morrer antes do tempo?". Temos duas verdades nesse versículo que merecem nossa atenção:

1. *Há um tempo certo.* A própria expressão "morrer antes do tempo" indica que há, no plano divino, uma "hora" ideal em que cada um deveria partir.
2. *O tempo pode ser alterado.* Porém, ao revelar a possibilidade de se morrer antes do tempo, as Escrituras mostram que esse "tempo certo" pode ou não ser cumprido. E isso não depende apenas de Deus. Depende também de nós e de nossas escolhas.

Via de regra, o plano divino para o ser humano, revelado na Palavra de Deus, é que a morte chegue em boa velhice. A Bíblia compara esse momento da vida do homem com o do trigo que tem *o seu tempo* para ser colhido:

> Você irá para a sepultura em *pleno vigor*,
> como um feixe recolhido *no devido tempo*.
>
> Jó 5.26, NVI

Afirmei que esse é o plano divino generalizado porque também encontramos na Bíblia exceções, isto é, pessoas que o próprio Senhor advertiu que morreriam em um tempo e formato diferente, e isso não pode ser ignorado. O martírio em prol do evangelho é um exemplo que cabe nessa classificação, como afirmou o Senhor Jesus:

> Um irmão entregará à morte outro irmão, e o pai entregará o filho. Haverá filhos que se levantarão contra os seus pais e os *matarão*. Todos odiarão vocês por causa do meu nome; aquele, porém, que ficar firme até o fim, esse será salvo.
>
> Mateus 10.21-22

> Falo essas coisas para que vocês não se escandalizem. Eles expulsarão vocês das sinagogas, e até chegará a hora em que todo aquele que *os matar* pensará que, com isso, está prestando culto a Deus. Isso farão porque não conhecem o Pai nem a mim. Mas estou falando essas coisas para que, quando chegar a hora, vocês se lembrem de que eu já tinha dito isto para vocês.
>
> João 16.1-4

Em João 21.18-19, Jesus comenta sobre o tipo de morte com que Pedro iria glorificar a Deus. Demonstrou, assim, que o apóstolo seria martirizado. E o próprio Pedro reconhece, no fim de seus dias, a iminência do evento predito por Jesus:

> Também considero justo, enquanto estou neste tabernáculo, despertar essas lembranças em vocês, certo de que estou prestes a *deixar o meu tabernáculo*, como efetivamente nosso Senhor Jesus Cristo *me revelou*. Mas, de minha parte, me esforçarei ao máximo para que sempre, mesmo depois da *minha partida*, vocês se lembrem dessas coisas.
>
> 2Pedro 1.13-15

O apóstolo Paulo fez declaração semelhante quanto à sua partida: "Quanto a mim, estou sendo já oferecido por libação, e o tempo da minha partida é chegado" (2Tm 4.6). Ele sabia que seu martírio se aproximava e chamou isso de libação, isto é, uma oferta derramada ao Senhor. No Antigo Testamento a libação poderia envolver o derramamento de óleo (Gn 35.14), vinho (Êx 29.40) ou água (2Sm 23.16), e o conceito se aplicava também ao sangue do sacrifício dos animais (Hb 9.22).

A mesma analogia foi usada pelo apóstolo em sua epístola aos filipenses:

Entretanto, *mesmo que eu seja oferecido como libação* sobre o sacrifício e serviço da fé que vocês têm, fico contente e me alegro com todos vocês.

Filipenses 2.17

Porém, mesmo diante da possibilidade de morte por execução, não natural, Paulo demonstra, em carta a Timóteo, que havia cumprido o propósito divino para sua vida:

Quanto a mim, já estou sendo oferecido por libação, e *o tempo da minha partida chegou*. Combati o bom combate, completei a carreira, guardei a fé. Desde agora me está guardada a coroa da justiça, que o Senhor, reto juiz, me dará naquele Dia; e não somente a mim, mas também a todos os que amam a sua vinda.

2Timóteo 4.6-8

Há mortes, portanto, que não são naturais e que, ainda assim, podem glorificar a Deus. Mas é óbvio que os exemplos bíblicos em nenhum momento retratam uma morte por negligência no cuidado do corpo como sendo para a glória de Deus. E ainda vale acrescentar que, mesmo sabendo e afirmando que não morreria com uma morte natural, Paulo já estava *velho*, o que claramente pode ser visto em sua afirmação a Filemom:

Prefiro, no entanto, pedir em nome do amor, sendo o que sou, *Paulo, o velho*, e agora também prisioneiro de Cristo Jesus.

Filemom 1.9

Ou seja, mesmo na iminência de ser martirizado, Paulo não havia sabotado sua longevidade por meio de negligência no cuidado do corpo. Apresentei essa possibilidade de que alguém morra antes da velhice sem, necessariamente, estar fora da vontade de Deus. Porém, o inverso nem sempre é verdadeiro. Ou seja, não significa, de forma alguma, que todos os que estão morrendo antes da velhice estejam partindo por determinação divina.

As Sagradas Escrituras advertem, repetidas vezes, sobre a importância de obedecermos a Deus, e comunicam também a consequência dessa obediência, que envolve a bênção da longevidade. Por outro lado, as mesmas Escrituras revelam que uma das consequências da desobediência a Deus e seus mandamentos é a possibilidade de diminuir os dias de vida. Em outras palavras, alguém pode viver mais ou menos tempo em virtude de sua própria decisão sobre como viver. Não se trata de uma decisão divina determinando o tempo de vida das pessoas, mas, sim, de uma decisão humana.

## Aumentando ou diminuindo nossos dias

Observe a declaração que o Senhor fez aos israelitas por meio de Moisés:

> Vejam! Hoje coloco diante de vocês a vida e o bem, a morte e o mal. Se guardarem o mandamento que hoje lhes ordeno, que amem o SENHOR, seu Deus, andem nos seus caminhos e guardem os seus mandamentos, os seus estatutos e os seus juízos, então vocês viverão e se multiplicarão, e o SENHOR, seu Deus, os abençoará na terra em que estão entrando para dela tomar posse. Mas, se o coração de vocês se desviar, e não quiserem ouvir, mas forem seduzidos, se inclinarem diante de outros deuses e os servirem, então hoje lhes declaro que, certamente, perecerão; não permanecerão muito tempo na terra na qual, passando o Jordão, vocês vão entrar para dela tomar posse. Hoje tomo o céu e a terra por testemunhas contra vocês, que lhes propus a vida e a morte, a bênção e a maldição; escolham, pois, a vida, para que vivam, vocês e os seus descendentes, amando o SENHOR, seu Deus, dando ouvidos à sua voz e apegando-se a ele; pois *disto depende a vida e a longevidade de vocês*. Escolham a vida, para que habitem na terra que o SENHOR, sob juramento, prometeu dar aos pais de vocês, a Abraão, Isaque e Jacó.
>
> Deuteronômio 30.15-20

O Senhor declarou que viver em bênção ou maldição dependeria de como os israelitas decidiriam caminhar: em obediência ou em desobediência a seus mandamentos. Isso é repetido várias vezes nas Escrituras:

> Portanto, guardem os seus estatutos e os seus mandamentos que hoje lhes ordeno, para que tudo vá bem com vocês e com os seus filhos depois de vocês e *para que vocês prolonguem os seus dias* na terra que o SENHOR, seu Deus, lhes está dando para todo o sempre.
>
> Deuteronômio 4.40

> São estes os mandamentos, os estatutos e os juízos que o SENHOR, seu Deus, ordenou que fossem ensinados a vocês, para que vocês os cumprissem na terra

em que vão entrar e possuir, para que durante todos os dias da sua vida vocês, os seus filhos, e os filhos dos seus filhos temam o SENHOR, seu Deus, e guardem todos os seus estatutos e mandamentos que eu lhes ordeno, e *para que os seus dias sejam prolongados.*

Deuteronômio 6.1-2

De igual modo, quando Salomão assumiu o trono, sucedendo Davi, seu pai, o Senhor lhe fez a mesma advertência:

Se você andar nos meus caminhos e guardar os meus estatutos e os meus mandamentos, como fez Davi, seu pai, eu *prolongarei os seus dias.*

1Reis 3.14

Meu filho, não se esqueça dos meus ensinos,
e que o seu coração guarde os meus mandamentos,
porque eles *aumentarão os seus dias*
e lhe *acrescentarão anos de vida* e paz.

Provérbios 3.1-2

E a advertência da sabedoria, falando de forma personificada, segue enfatizando a mesma verdade no Livro de Provérbios:

Porque por mim se *multiplicarão os seus dias,*
e *aumentarão os anos de sua vida.*

Provérbios 9.11

Ou seja, podemos *aumentar* ou *diminuir* nosso tempo de vida, e isso depende das *escolhas* que fazemos. Mas passemos agora às afirmações do Novo Testamento. O apóstolo Paulo, escrevendo aos cristãos em Éfeso, apresenta aos gentios, os crentes da nova aliança, o princípio predeterminado por Deus, desde a antiga aliança, sobre a maneira de tratar os pais, destacando que a atitude de honra para com eles atrairá a longevidade. E também deixa claro que isso não era mera frase de efeito, mas que se trata do primeiro mandamento com promessa:

"Honre o seu pai e a sua mãe", que é o primeiro mandamento com promessa, "*para que* tudo corra bem com você, e *você tenha uma longa vida* sobre a terra."

Efésios 6.2-3

Em suma, a maneira *correta* de tratar nossos progenitores pode aumentar nossos dias. Em contrapartida, a palavra de juízo dada ao sacerdote Eli, sobre seus filhos morrerem na flor da idade e não mais haver idosos em sua casa (1Sm 2.31-33), nos ensina que a maneira *errada* de tratar nossa família pode diminuir nossos dias. Ou seja, viver mais ou menos tempo não é apresentado na Bíblia como algo em que Deus decide arbitrária e unilateralmente, mas é também algo que pode decorrer das escolhas humanas.

Um exemplo claro de juízo divino seguido de morte com ênfase na responsabilidade humana se encontra em Levítico 10.1-2:

> Nadabe e Abiú, filhos de Arão, tomaram cada um o seu incensário, puseram fogo dentro deles, e sobre o fogo colocaram incenso; e trouxeram fogo estranho diante da face do SENHOR, *algo que ele não lhes havia ordenado*. Então saiu fogo de diante do SENHOR e os consumiu; e morreram diante do SENHOR.

Esses sacerdotes não morreram porque tinham "hora marcada para tal". Colheram o fruto de suas escolhas. Estas, por sua vez, se houvessem sido diferentes, poderiam levar a outro tipo de consequência e eles permaneceriam vivos. A prova disso está nas advertências feitas a Arão e seus outros filhos:

> Moisés disse a Arão e aos seus filhos Eleazar e Itamar:
>
> — Não deixem os cabelos sem pentear, nem rasguem as suas roupas, para que vocês não morram, nem venha grande ira sobre toda a congregação; mas os seus irmãos, toda a casa de Israel, poderão lamentar o fogo que o SENHOR causou. Não se afastem da porta da tenda do encontro, *para que vocês não morram*; porque sobre vocês está o óleo da unção do SENHOR.
>
> E fizeram conforme a palavra de Moisés.
>
> Levítico 10.6-7

A expressão "para que vocês não morram" atesta, indubitavelmente, que a morte dos demais membros da primeira família sacerdotal poderia ser tanto *evitada* como *provocada*. E isso dependeria deles, de suas próprias escolhas, e não de Deus.

Aliás, o juízo divino que encurta os dias de alguém não é algo exclusivo do Antigo Testamento, como bem podemos ver no exemplo de Ananias e Safira (At 5.5-10) e na carta à igreja de Tiatira, no episódio envolvendo a mulher classificada por Jesus como Jezabel (Ap 2.20-23). O apóstolo Paulo, por sua vez, falou de gente morrendo prematuramente na igreja de Corinto em decorrência de uma vida espiritual desordenada. Ou seja, acabaram, por meio de suas escolhas, colocando-se debaixo de juízo divino:

> *É por isso* que há entre vocês *muitos fracos e doentes e não poucos que dormem*. Porque, se julgássemos a nós mesmos, *não seríamos julgados*.
>
> 1Coríntios 11.30-31

Constatar que há pessoas morrendo prematuramente, fora da vontade divina, deveria nos trazer temor. Hoje em dia também há muitos cristãos, à semelhança dos coríntios, que estão fracos e doentes ou que já morreram antes do tempo em razão de más escolhas — o que envolve, também, *a maneira como cuidam de sua saúde* (ou como deixam de fazê-lo).

As Escrituras nos apresentam, ainda, relatos de pessoas que obtiveram mais tempo de vida do que o supostamente determinado, como aconteceu com o rei Ezequias e o apóstolo Paulo. E também nos apresenta aqueles que partiram antes de ter completado seu tempo e missão, como o profeta Elias. Em todas essas situações, vemos o elemento da *escolha humana* não apenas participando como também, de certo modo, determinando o processo. Observemos mais detalhadamente o que a Palavra de Deus diz sobre cada um desses casos.

## O profeta Elias

Logo depois de sua grande vitória sobre os profetas de Baal e Aserá, no monte Carmelo, quando fogo desceu dos céus sobre o sacrifício e os israelitas caíram de joelhos declarando "só o SENHOR é Deus", Elias fugiu diante da ameaça de Jezabel, mulher do rei Acabe. A Bíblia assim relata:

> Acabe contou a Jezabel tudo o que Elias havia feito e como havia matado todos os profetas à espada. Então Jezabel mandou um mensageiro a Elias para dizer-lhe:
>
> — Que os deuses me castiguem se amanhã a estas horas eu não tiver feito com a sua vida o mesmo que você fez com a vida de cada um deles!
>
> Elias ficou com medo, levantou-se e, *para salvar a vida*, se foi e chegou a Berseba, que pertence a Judá. E ali ele deixou o seu servo.
>
> 1Reis 19.1-3

Contudo, ao chegar a Berseba, o profeta, que havia fugido justamente para salvar a própria vida, desistiu de viver e pediu ao Senhor para morrer:

> Ele mesmo, porém, foi para o deserto, caminhando um dia inteiro. Por fim, sentou-se debaixo de um zimbro. *Sentiu vontade de morrer e orou*:
>
> — Basta, SENHOR! *Tira a minha vida*, porque eu não sou melhor do que os meus pais.
>
> 1Reis 19.4

Elias estava, naquele momento, desistindo não somente do ministério mas também da própria vida. E é evidente que Deus aceitou a "carta de demissão" apresentada pelo profeta quando lemos a resposta que lhe foi dada:

> Então o SENHOR disse a Elias:
>
> — Vá, volte ao seu caminho para o deserto de Damasco. Chegando lá, unja Hazael como rei da Síria. Unja também Jeú, filho de Ninsi, como rei de Israel e Eliseu, filho de Safate, de Abel-Meolá, como profeta *em seu lugar*.
>
> 1Reis 19.15-16

A instrução de ungir Eliseu "em seu lugar" deixa claro que Elias seria *substituído* — e não apenas *sucedido* — por Eliseu. Ele desistiu de continuar vivendo, pediu para si a morte e Deus a aceitou, embora tenha exigido que o profeta fosse responsável e deixasse alguém para terminar aquilo que ele mesmo já não poderia concluir: sua missão.

A Bíblia não diz que a partida do profeta se deveu ao fato de que Deus não queria mais a presença de Elias neste mundo ou o queria lá no céu, como foi o caso de Enoque. Pelo contrário, a Palavra de Deus revela que quem não quis mais permanecer na terra foi Elias e que Deus atendeu o pedido e escolha do profeta.

## O rei Ezequias

Em contrapartida, encontramos também, nas Escrituras, exemplos de pessoas que escolheram ficar mais tempo neste mundo, como o rei Ezequias e o apóstolo Paulo. Sobre Ezequias, a Bíblia relata:

> Por esse tempo, Ezequias adoeceu de uma enfermidade mortal. O profeta Isaías, filho de Amoz, foi visitá-lo e lhe disse:

— Assim diz o SENHOR: "Ponha em ordem a sua casa, porque você morrerá; você não vai escapar."

Então Ezequias virou o rosto para a parede e *orou ao SENHOR*, dizendo:

— Ó SENHOR, lembra-te de que andei diante de ti com fidelidade, com coração íntegro, e fiz o que era reto aos teus olhos.

E Ezequias chorou amargamente.

Antes que Isaías tivesse saído do pátio central, a palavra do SENHOR veio a ele, dizendo:

— Volte e diga a Ezequias, príncipe do meu povo: Assim diz o SENHOR, o Deus de Davi, seu pai: "*Ouvi a sua oração* e vi as suas lágrimas. Eis que eu vou curá-lo e, ao terceiro dia, você subirá à Casa do SENHOR. Acrescentarei quinze anos à sua vida e livrarei das mãos do rei da Assíria tanto você quanto esta cidade. Defenderei esta cidade por amor de mim e por amor a Davi, meu servo."

2Reis 20.1-6

Esse relato mostra que é possível acrescentar mais dias à nossa vida. Além da questão de se obedecer a Deus, vemos nessa porção das Escrituras que oração e fé também podem ser formas pelas quais se pode prolongar os dias na terra. Cabe ressaltar, porém, que essas não são as únicas formas de obter isso. Além das leis e questões espirituais também temos as leis e questões naturais; abordarei isso mais adiante.

## O apóstolo Paulo

Em sua epístola à igreja de Filipos, Paulo faz uma declaração que também precisa ser levada em consideração:

Minha ardente expectativa e esperança é que em nada serei envergonhado, mas que, com toda a ousadia, como sempre, também agora, Cristo será engrandecido no meu corpo, quer pela vida, quer pela morte. Porque para mim o viver é Cristo, e o morrer é lucro. Entretanto, se eu continuar vivendo, poderei ainda fazer algum trabalho frutífero. Assim, *não sei o que devo escolher*. Estou cercado pelos dois lados, tendo o desejo de partir e estar com Cristo, o que é incomparavelmente melhor. Mas, por causa de vocês, é mais necessário que eu continue a viver. E, convencido disto, estou certo de que ficarei e permanecerei com todos vocês, para que progridam e tenham alegria na fé.

Filipenses 1.20-25

Observe que o apóstolo diz estar constrangido diante de uma escolha. E o dilema nos é apresentado pelo apóstolo como se dando entre a decisão de "partir e estar com Cristo" (morrer) ou a de "permanecer na carne" (continuar a viver). Depois de apresentar seu dilema, ele conclui revelando estar convencido de que permaneceria por mais tempo com os irmãos a fim de dar mais fruto e vê-los progredir. Ou seja, ele concluiu que era mais valioso e estratégico viver um pouco mais neste mundo, em vez de escolher partir mais cedo, e decidiu ficar.

Foi do entendimento dessa afirmação de Paulo que decidi usar como título deste capítulo a expressão "O céu pode esperar". Teremos a eternidade toda para usufruir nosso pleno relacionamento com Deus e as recompensas eternas. Não há necessidade de apressar esse encontro. Pelo contrário, podemos usar com sabedoria e intensidade nossos dias neste corpo terreno a fim de dar mais fruto para Deus.

Penso que, assim como esses exemplos bíblicos, também podemos escolher viver mais ou menos tempo, não somente por causa de oração e fé, mas também pela forma como decidimos tratar nosso corpo enquanto vivemos aqui na terra. Certa vez, ouvi alguém dizer que o cuidado com a saúde pode nos proporcionar não somente *mais dias de vida* como também *mais vida em nossos dias*.

O salmista, por inspiração do Espírito Santo, declarou:

> Quem de vocês *ama a vida*
> e quer *longevidade* para ver o bem?
>
> Salmos 34.12

Eu posso, simplesmente porque *amo* viver e porque *quero* a longevidade, escolher viver de tal modo que viabilize isso. Os versículos posteriores desse salmo (que aconselho você a ler e nele meditar com calma em outro momento) nos mostram que precisamos viver de forma diferenciada para que isso se torne possível.

## A lição de Robert Murray M'Cheyne

Em 2013, o pastor Gustavo Bessa, na ocasião em que nos conhecemos, me abordou, com franqueza e honestidade, pedindo-me que cuidasse melhor de meu corpo e saúde. Foi aquele tipo de conversa que, a princípio, me constrangeu, embora depois eu a tenha classificado como importante e necessária.

Nessa ocasião ele me perguntou se eu já tinha ouvido falar de Robert Murray M'Cheyne, um avivalista escocês. Respondi que sim e que até tinha a citação de uma frase dele em um dos meus livros.

O Gustavo insistiu:

— Mas sabe qual é a frase mais conhecida dele?

— Não tenho certeza se as que conheço estão nessa classificação — retruquei.

— Então você não conhece, senão saberia exatamente qual é a frase — afirmou.

O Gustavo então me apresentou, resumidamente, a história de Robert Murray M'Cheyne. Pastor e pregador escocês do início do século 19, M'Cheyne se doou ao ministério e chacoalhou sua geração, mas faleceu antes mesmo de completar trinta anos de idade, vítima de uma epidemia de tifo. Em seu leito de morte, ele declarou: "Deus me deu um cavalo e uma mensagem. Eu matei o cavalo e já não posso levar a mensagem".

M'Cheyne sentiu essa grande tristeza, não apenas pela perda de sua própria vida, mas principalmente pela perda da oportunidade de pregar mais o evangelho.

Infelizmente, muitos mensageiros também seguem matando "seu cavalo" em nossos dias. Muito do que poderíamos fazer para o Senhor tem sido sabotado por nossa falta de cuidado do corpo. Lembro-me de uma frase que ouvi numa conversa com o dr. Aldrin Marshall: "Comer errado provavelmente não o impedirá de ir para o céu, mas certamente o levará para lá mais depressa!".

## A questão da soberania divina

Apresentei diversos textos bíblicos que mencionam pessoas cujos dias foram aumentados ou diminuídos por sua própria escolha. Isso se deu não só pela obediência ou desobediência aos mandamentos divinos, pela oração e fé (em situações específicas), mas também, como demonstrarei nos capítulos posteriores, pela maneira como essas pessoas decidiram cuidar (ou não) de seu corpo.

Essa noção, contudo, choca algumas pessoas por *parecer* conflitar com aquilo que elas entendem da soberania divina. Alguns acreditam que a soberania divina só pode ser vista onde Deus não dá ao homem o direito de escolha. Mas isso não é verdade. Até porque, se o Criador só pudesse ser soberano do jeito que nós determinamos (e não o dele), o próprio conceito de soberania já estaria minado. Deus é soberano do jeito que ele mesmo quer! E foi ele mesmo quem decidiu dar ao ser humano o direito de escolha e a capacidade de determinar aspectos de seu próprio destino.

A ideia de que tudo se encontra predeterminado e agendado por Deus para, inevitavelmente, acontecer depois, provém, entre outras razões, de um entendimento equivocado de alguns textos bíblicos, como, por exemplo, a seguinte afirmação de Davi:

> Os teus olhos viram a minha substância ainda informe,
> e no teu livro *foram escritos todos os meus dias,*
> cada um deles escrito e determinado,
> quando nem um deles ainda existia.
>
> Salmos 139.16

O fato de que os detalhes de nossa vida, incluindo nosso futuro, estão registrados não significa que cada um deles foi, arbitrária e soberanamente, determinado por Deus. Eles simplesmente são conhecidos pela presciência e onisciência divinas.

Paulo, escrevendo aos romanos, fala de Deus declarando o que seria de Jacó e Esaú antes mesmo que tivessem nascido (Rm 9.11-13). O apóstolo diz explicitamente que, antes de fazerem o bem ou mal, a eleição já estava sendo demonstrada. Mas o que é a eleição e como ela se manifesta? Deus decide todo o destino das pessoas sem que elas possam fazer escolhas? Ou será que Deus pode afirmar as coisas antecipadamente porque também conhece previamente as escolhas que elas farão?

A Bíblia destaca a eleição conectada com a presciência de Deus. Observe:

> Pedro, apóstolo de Jesus Cristo, aos *eleitos* que são forasteiros da Diáspora no Ponto, na Galácia, na Capadócia, na Ásia e na Bitínia, *eleitos, segundo a presciência* de Deus Pai, em santificação do Espírito, para a obediência e a aspersão do sangue de Jesus Cristo. Que a graça e a paz lhes sejam multiplicadas.
>
> 1Pedro 1.1-2

O que o texto sagrado diz é "eleitos, segundo a *presciência* de Deus Pai". A eleição se baseia no pré-conhecimento divino das escolhas humanas. O ser humano recebeu o livre-arbítrio e é responsável, assim, tanto por suas escolhas como também pelas consequências que delas provêm.

Que Deus permitiu que o homem fizesse as próprias escolhas, e que não o "atropelará" obrigando-o a fazer o que não queira, pode ser visto em vários textos bíblicos. Mas quero citar apenas um, visto que a ideia não é exaurir o tema aqui (trata-se de assunto para outro livro).

> — Homens teimosos e incircuncisos de coração e de ouvidos, *vocês sempre resistem ao Espírito Santo*. Vocês fazem exatamente o mesmo que fizeram os seus pais.
>
> Atos 7.51

Nessas palavras, Estevão, em sua última pregação, afirma que os israelitas de seus dias, a exemplo de seus antepassados, *resistiram* ao Espírito Santo. Não o fizeram apenas uma vez ou outra, mas o faziam sempre.

Isso significa que o homem pode resistir a Deus?

Claro que sim!

Não porque seja mais forte, tampouco porque Deus não seja soberano. Pelo contrário, foi justamente por causa da escolha soberana de Deus que o homem recebeu seu livre-arbítrio, seu direito de escolha.

Judas escolheu se matar. Saul também. Qualquer pessoa pode acabar com sua vida "antes do tempo", bem como com a vida dos outros. Por isso Deus ordenou ao homem que não matasse. Se isso fosse possível somente por determinação divina, o Criador não precisaria nem mesmo nos proibir de matar alguém! Se tal determinismo fatalístico fosse verdadeiro, então ninguém deveria ser culpado de matar outro, já que não teria sido sua própria escolha tirar a vida de alguém. Antes de Caim matar seu irmão Abel, o Senhor o advertiu:

> — Por que você anda irritado? E por que essa cara fechada? Se fizer o que é certo, não é verdade que você será aceito? Mas, se não fizer o que é certo, eis que o pecado está à porta, à sua espera. *O desejo dele será contra você, mas é necessário que você o domine.*
>
> Gênesis 4.6-7

Observe as frases em destaque. Deus advertiu Caim de que o pecado o rodeava e que era responsabilidade dele dominar o desejo que o levou a matar o próprio irmão.

Nossas escolhas e as consequências que delas provêm não anulam a soberania de Deus. Ele mesmo foi quem quis que as coisas fossem assim. Além do mais, ele conhece todas as coisas, mesmo as que ainda não aconteceram, e não pode ser pego de surpresa por nada nem ninguém. E, no entanto, ele nos deixou escolhas que podem, entre outras coisas, afetar nossa saúde e nosso tempo de vida.

Não estou dizendo que podemos decidir até quando viveremos, mas sim que devemos fazer tudo o que estiver a nosso alcance para garantir que não abortemos o que poderíamos experimentar em termos de longevidade. Gosto de uma afirmação da dra. Denise Portugal, em seu livro *Start para o bem-estar*, e a compartilho aqui:

> Costumo dizer que não somos donos do tempo. Ninguém sabe o dia de amanhã, só sabe que vai morrer um dia. Não é porque sou saudável que vou viver mais ou menos. Existem algumas probabilidades, quando se é saudável, de que se tenha menos riscos de contrair doenças. Porém, uma coisa é certa: minha qualidade de vida será melhor, independentemente de quantos anos vou viver. Se eu viver mais 10, 20 ou 50 anos, terei certeza de que fiz minha parte com relação ao meu corpo. E você? O que está fazendo com o seu templo?[1]

Que sejamos sábios e façamos as escolhas corretas. O céu, por mais maravilhoso que seja, poderá ser desfrutado eternamente. Porém o galardão eterno a ser recebido lá depende do quanto trabalhamos do lado de cá. Por isso aconselho você a também preferir viver mais e experimentar a bênção da longevidade.

[1] Denise Portugal, *Start para o bem-estar: Todo dia é um novo começo* (Rio de Janeiro: Central Gospel, 2017), p. 25-26.

# 4

# A MORDOMIA DO CORPO

Será que vocês não sabem que o corpo de vocês é santuário
do Espírito Santo, que está em vocês e que vocês receberam
de Deus, e que vocês não pertencem a vocês mesmos?
Porque vocês foram comprados por preço. Agora, pois,
glorifiquem a Deus no corpo de vocês.

1CORÍNTIOS 6.19-20

Anteriormente falei da responsabilidade que temos de cuidar do corpo e da saúde. Agora ampliarei um pouco mais esse conceito, e o farei sob outra perspectiva, com base em outro princípio bíblico: a boa *mordomia*.

Uma das principais razões pelas quais devemos cuidar do corpo é porque ele *não é nosso*, mas *pertence ao Senhor*, como destacado no versículo acima. O apóstolo deixa claro, em duas frases distintas, o fato de que somos propriedade de Deus. Primeiramente ele afirma que *não nos pertencemos*. Depois, declara que fomos *comprados*, que é a razão de não sermos de nós mesmos.

E por que Deus se tornou proprietário?

Porque ele nos comprou!

Sim, o texto bíblico declara exatamente isso: "Porque vocês foram comprados". A Palavra de Deus diz que Jesus, com sua morte, nos comprou para Deus:

[...] e cantavam um cântico novo, dizendo:

> "Digno és de pegar o livro e de quebrar os selos,
> porque foste morto e com o teu sangue *compraste para Deus*
> os que procedem de toda tribo, língua, povo e nação
> e para o nosso Deus os constituíste reino e sacerdotes;
> e eles reinarão sobre a terra."
>
> Apocalipse 5.9-10

Isto é redenção. Para muitos cristãos, a palavra "redenção" não significa nada mais do que "salvação" ou "perdão dos pecados". Mas seu significado vai muito além disso. "Redenção" significa "resgate" ou "remissão". Retrata a ação de readquirir uma propriedade perdida.

## Entendendo a redenção

Quando a Bíblia afirma que nós temos a redenção pelo sangue de Jesus (Ef 1.7), está fazendo uma *aplicação espiritual* de uma *lei natural*, pois a lei mosaica não era apenas a Escritura Sagrada do povo hebreu, mas era, também, a constituição, o código civil, daquele povo.

O livro de Rute, por exemplo, nos mostra Boaz como um redentor, um resgatador das propriedades de Noemi (o que incluía a responsabilidade de casar-se com Rute). Nessa ocasião ele estava readquirindo uma posse perdida de alguém com parentesco, e teve de fazê-lo seguindo todos os princípios dessa lei.

A premissa bíblica era clara desde a antiga aliança: toda dívida precisava ser paga. Se uma pessoa não tivesse recursos para honrar seus compromissos, deveria dar seus bens em pagamento, e, se estes também não fossem suficientes, ela deveria dar suas terras. E, se isso ainda não bastasse para a quitação de sua dívida, o próprio indivíduo (e às vezes até a própria família) deveria ser entregue como pagamento, o que faria dele um escravo!

Em 2Reis 4.1-7, lemos que uma viúva teria seus filhos levados como escravos caso ela não pagasse sua dívida. Nessa trágica condição, só havia duas formas de a pessoa sair da escravidão: ou alguém teria de pagar sua dívida (um redentor), ou ela teria de esperar nessa condição até que o Ano do Jubileu chegasse, o que ocorria a cada cinquenta anos. A exceção a esse prazo se dava somente quando o escravo também fosse um hebreu; então, serviria por seis anos e no sétimo sairia livre (Êx 21.2). Veja o que a lei de Moisés dizia a esse respeito:

> Se alguém do seu povo empobrecer e vender alguma parte das suas propriedades, então virá o seu resgatador, seu parente, e resgatará o que esse seu irmão vendeu. Se alguém não tiver resgatador, porém vier a tornar-se próspero e achar o bastante com que a remir, então contará os anos desde a sua venda, e o que ficar restituirá ao homem a quem vendeu; e assim poderá voltar à sua propriedade. Mas, se as suas posses não lhe permitirem reavê-la, então a propriedade que for vendida ficará na mão do comprador até o Ano do Jubileu; porém, no Ano do Jubileu, sairá do poder deste, e aquele poderá voltar para a sua propriedade.
>
> Levítico 25.25-28

Nesse texto, que trata somente da perda da terra, e não da escravidão, vemos que havia três formas de alguém recuperar suas posses: 1) a redenção (o pagamento feito por um parente); 2) o perdão de sua dívida, proclamado no Ano do Jubileu; e 3) sua própria possibilidade de pagar a dívida caso viesse a prosperar (o que não ocorria no caso dos escravos). Para o escravo, porém, só havia duas formas de ficar livre: no Ano do Jubileu ou pela redenção.

A redenção era o pagamento da dívida, feito por um parente próximo. Por meio da quitação da dívida, comprava-se de volta tudo aquilo que se havia perdido. Assim, a pessoa que fora escravizada não mais pertenceria a quem antes ela devia, embora passasse a pertencer (até o próximo Jubileu) àquele que quitou sua dívida. Por exemplo: se eu me endividasse a ponto de perder todas as minhas posses e fosse transformado em escravo, e meu irmão me resgatasse, eu não deixaria de ser escravo. Eu somente mudaria de dono. Passaria a ser escravo de meu irmão, porque ele teria me comprado.

E qual seria o proveito disso?

De que adiantaria ficar livre de um, para se tornar escravo de outro?

A diferença era que o novo dono era um parente e só havia pago aquela dívida *por amor* (uma vez que, dependendo do valor da dívida, podia-se comprar um escravo por bem menos), e, justamente por causa de seu amor, ele trataria o escravo com brandura e misericórdia.

Foi exatamente isto que Jesus fez por nós! Ele nos comprou para Deus através de sua morte na cruz. Reapresento aqui o registro de João em Apocalipse: "com o teu sangue *compraste* para Deus os que procedem de toda tribo, língua, povo e nação e para o nosso Deus os constituíste reino e sacerdotes; e eles reinarão sobre a terra" (Ap 5.9b-10). Nossa redenção pode ser vista, no reino espiritual, como o paralelo de uma *transação comercial* semelhante à que constatamos na lei de Moisés.

Vejamos, agora, um breve panorama da condição humana e do que Cristo fez por nós.

O homem transformou-se em escravo de Satanás ao render-se ao pecado no jardim do Éden. A Bíblia declara que "aquele que é vencido fica escravo do vencedor" (2Pe 2.19), e foi o que ocorreu ao primeiro casal. Eles foram separados da glória de Deus e perderam sua filiação divina. A condição de pecado e morte espiritual passou a todos os homens (Rm 5.12), e não havia como a humanidade resolver por conta própria seu problema, pois a dívida do pecado era impagável:

> Ao irmão, verdadeiramente, ninguém o pode *remir*,
> nem *pagar por ele a Deus o seu resgate* —
> pois a *redenção* da alma deles é caríssima,
> e cessará a tentativa para sempre —,
> para que continue a viver perpetuamente
> e não venha a morrer.
>
> Salmos 49.7-9

Mas Jesus veio pagar a dívida de nosso pecado, e, ao fazê-lo, garantiu nossa libertação das mãos de Satanás:

> Ele nos libertou do poder das trevas e *nos transportou* para o Reino do seu Filho amado, em quem temos a *redenção*, a remissão dos pecados.
>
> Colossenses 1.13-14

Essa redenção foi um *ato de compra*, efetuado pelo pagamento da dívida do pecado:

> *Cancelando o escrito de dívida* que era contra nós e que constava de ordenanças, o qual nos era prejudicial, *removeu-o inteiramente*, cravando-o na cruz. E, *despojando* os principados e as potestades, publicamente os expôs ao desprezo, triunfando sobre eles na cruz.
>
> Colossenses 2.14-15

A Bíblia Sagrada revela que Jesus despojou — isto é, privou de posse, desapossou — os príncipes malignos. Isso nos faz questionar o que, exatamente, Jesus tomou desses principados malignos.

O que eles possuíam que pudesse interessá-lo?

Nada, a não ser nossa vida!

Portanto, o despojo somos nós, que fomos comprados por ele para seu Pai, e, a partir de então, passamos a ser propriedade de Deus.

Repetidas vezes encontramos a ênfase de que o Senhor Jesus Cristo nos comprou para si. E o preço não foi pago com moeda terrena, e sim com seu próprio sangue:

> Sabendo que não foi mediante coisas perecíveis, como *prata ou ouro*, que vocês *foram resgatados* da vida inútil que seus pais lhes legaram, mas *pelo precioso sangue* de Cristo, como de um cordeiro sem defeito e sem mácula.
>
> 1Pedro 1.18-19

É justamente aqui que entendemos a necessidade de Deus, na pessoa de Jesus, encarnar e tornar-se um de nós. Pois somente um semelhante, alguém com consanguinidade, poderia levantar-se como redentor de outro ser humano.

## Entendendo a consequência da redenção

Portanto, quando Jesus nos comprou, ele nos livrou da escravidão do diabo, mas nos fez escravos de Deus! E, como um ato de compra, a redenção fez de Deus nosso Senhor e Amo. Consequentemente, fez de nós sua *propriedade*. Agora tudo o que somos e temos *pertence* a Deus. Coisa alguma do que "possuímos" é de fato propriedade exclusivamente nossa. Nem a nossa própria vida pertence a nós mesmos.

Somos propriedade de Deus! Ele é o nosso Dono! Portanto, tudo aquilo que nos pertence é dele também. Referindo-se ao Espírito Santo em nós, Paulo o chamou de "o penhor da nossa herança, para redenção da possessão de Deus" (Ef 1.14, ARC). Observe que o termo "herança" aparece associado a "redenção" e "possessão", pois é disto que o princípio da redenção sempre trata: o resgate da propriedade.

É exatamente assim que as Escrituras se referem a nós. Somos agora chamados de propriedade de Deus:

> Vocês, porém, são geração eleita, sacerdócio real, nação santa, povo de *propriedade exclusiva* de Deus, a fim de proclamar as virtudes daquele que os chamou das trevas para a sua maravilhosa luz.
>
> 1Pedro 2.9

Quando Paulo, naquele navio que acabou naufragando na ilha de Malta, relata que um anjo lhe aparecera, ele declara: "Porque, esta mesma noite, um anjo de Deus, de quem *eu sou* e a quem *sirvo*, esteve comigo" (At 27.23). As palavras "de quem sou" [a quem pertenço] e "a quem sirvo" [de quem sou escravo] mostram o entendimento do apóstolo sobre a redenção e suas consequências. Somos de Deus. Servimos a Deus.

Essa compreensão nos remete, finalmente, a outro importante princípio bíblico: a *mordomia cristã*.

## A questão da mordomia

O mordomo (a quem hoje chamaríamos de *gerente* ou *administrador*) tinha basicamente duas funções. Em primeiro lugar, era o encarregado de cuidar das coisas de seu senhor, como José, no Egito, diante de Potifar (Gn 39.4). E a segunda função era a de prestar contas de sua administração, do trabalho realizado, princípio que pode ser constatado no ensino de Jesus (Lc 16.2).

Portanto, *administrar* e *prestar contas da administração* era o que se esperava de um mordomo. E podemos afirmar que, em nosso caso, como mordomos de Deus, ainda é exatamente o que segue sendo esperado.

A boa mordomia envolve cuidar de tudo o que nos diz respeito. Desde nossa família até nossos bens. Quando Paulo trata do assunto de sermos comprados, enfatiza especialmente o cuidado do corpo:

> Fujam da imoralidade sexual! Qualquer outro pecado que uma pessoa cometer é fora do corpo; mas aquele que pratica imoralidade sexual peca contra o próprio corpo. Será que vocês não sabem que *o corpo de vocês* é santuário do Espírito Santo, que está em vocês e que vocês receberam de Deus, e que *vocês não*

> *pertencem a vocês mesmos*? Porque vocês *foram comprados* por preço. Agora, pois, *glorifiquem a Deus no corpo* de vocês.
>
> 1Coríntios 6.18-20

Paulo está dizendo que não temos o direito de entregar o corpo à imoralidade porque o corpo não é mais nosso, mas de Deus, que o comprou. E que, como bons mordomos que têm a responsabilidade de cuidar do corpo que nos foi confiado (e, posteriormente, prestar contas disso), devemos mantê-lo longe da imoralidade. Quando assim agimos, estamos honrando e glorificando a Deus, que é o dono do corpo.

Portanto, separar-se do pecado e santificar-se para Deus é glorificá-lo por meio do corpo. Não é um culto de palavras, mas não deixa de ser uma exaltação ao Redentor. É um culto de santidade e boa mordomia! Celebramos a redenção divina não somente por meio de cânticos e dança, mas também por meio de atitudes. Quando reconhecemos que Deus comprou nosso corpo e cuidamos dele com a consciência de que ele é de Deus, estamos cultuando ao Senhor.

Mas o conceito de glorificar ao Senhor com nosso corpo não se limita apenas a mantê-lo longe da imoralidade. Também se estende ao *cuidado da saúde*.

## O cuidado com o corpo

As Sagradas Escrituras nos apresentam um conceito muito específico quanto ao cuidado do corpo. Escrevendo aos efésios, Paulo abordou os conceitos de "amor" e "cuidado" para com o corpo.

> Assim também o marido deve amar a sua esposa como *ama o próprio corpo*. Quem ama a esposa ama a si mesmo.
>
> Efésios 5.28

Obviamente, ele não se referia ao conceito grego antigo de "culto ao corpo", até porque a palavra traduzida por "amor" é *agapaó*, que indica um amor terno, elevado.[1] E, depois de falar de amar o próprio corpo, ele também fala de "alimentar" esse corpo e "cuidar" dele:

[1] Bible Hub, verbete *agapaó*, G25, <https://biblehub.com/greek/25.htm>.

> Porque ninguém jamais odiou o seu próprio corpo. Ao contrário, *o alimenta e cuida dele*, como também Cristo faz com a igreja; porque somos membros do seu corpo.
>
> Efésios 5.29-30

Creio que devemos guardar em mente a seriedade com que o próprio Deus trata a questão do cuidado do corpo. O texto diz que ninguém jamais *odiou* a própria carne. Portanto, o oposto de amar e cuidar é odiar. Quem cuida do corpo, expressa amor por ele; mas quem negligencia o cuidado do templo do Espírito, odeia-o, sabota-o. O exemplo dado é o da ação de Cristo com sua Igreja. Ele alimenta e cuida de seu corpo, que é a Igreja. E esse deveria ser nosso modelo de cuidado a ser exercido com nosso próprio corpo.

A advertência bíblica acerca do julgamento de quem opta pela atitude oposta me parece muito evidente:

> Vocês não sabem que são santuário de Deus e que o Espírito de Deus habita em vocês? *Se alguém destruir o santuário de Deus, Deus o destruirá.* Porque o santuário de Deus, que são vocês, é sagrado.
>
> 1Coríntios 3.16-17

A declaração feita a quem destrói seu corpo, o santuário do Espírito, é cristalina: "Deus o destruirá". Muitos acreditam que o termo "destruir o corpo" se limita ao suicídio, a quem tira a própria vida pela destruição do corpo. Mas não há nada nessa afirmação que exclua uma destruição gradual, não instantânea.

Aqui, obviamente, refiro-me ao descuido da saúde e não ao envelhecimento, que é um processo natural. Sobre a questão do envelhecimento, Paulo declarou:

> Por isso não desanimamos. Pelo contrário, mesmo que o *nosso ser exterior se desgaste*, o nosso ser interior se renova dia a dia.
>
> 2Coríntios 4.16

Costumo brincar que o envelhecimento é uma morte à prestação; pagamos um gigantesco "carnê" com prestações diárias (talvez a nova geração precise pesquisar para descobrir o que era esse carnê). O apóstolo diz que o homem exterior, o corpo, ou seja, nossa casca, se desgasta. A palavra usada no original grego e traduzida por "desgaste" é *diaphtheiró*, que significa "corromper, destruir, arruinar, consumir".[2] Ou seja, uma mudança para pior. O corpo já vive um processo natural de deterioração por meio do envelhecimento. Mas ninguém precisa acelerar o processo, antecipando seus anos de vida, por mera negligência quanto ao cuidado do corpo.

Creio que vale acrescentar, aqui, uma percepção importante sobre como envelhecemos. O dr. Aldrin Marshall, em seu livro *Rumo aos 120: Como desfrutar a realidade bíblica e científica de uma vida plena*, comenta:

> Para falarmos sobre envelhecimento, precisamos compreender os processos e escolhas que faremos em nosso estilo de vida que podem levar-nos a um envelhecimento saudável (senescência) ou não saudável (senilidade).
>
> A senescência abrange todas as alterações produzidas no organismo de um ser vivo e que são diretamente relacionadas a sua evolução no tempo, levando a um declínio da reserva funcional sem nenhum mecanismo de doença reconhecido. Como exemplos de senescência temos a queda ou o embranquecimento dos cabelos, a perda de flexibilidade da pele e o aparecimento de rugas. São fatores que podem incomodar, mas nenhum deles provoca encurtamento da vida ou alteração funcional.
>
> Já a senilidade pode ser definida como as condições que acometem o indivíduo no decorrer da vida baseadas em mecanismos fisiopatológicos (geradores de doenças). São, dessa forma, doenças que comprometem a qualidade de vida das pessoas, mas não são comuns a todas elas em uma mesma faixa etária. Por exemplo: a perda hormonal no homem que impede a vida sexual ativa, a osteoartrose, demência e o diabetes, entre outros comprometimentos. Todas essas circunstâncias não são normais da idade e nem comuns a todos os idosos, por isso são caracterizadas como quadro de senilidade.
>
> Para que possamos desfrutar de uma longevidade saudável (senescência) é necessário uma atitude preventiva e intervencionista. Sempre digo para meus pacientes que eu não quero tratar nenhuma doença neles, mas sim que eles não fiquem doentes. Para isso, é necessária uma mudança de atitude, saindo de uma posição passiva para a ativa, para que a idade biológica fique cada vez mais distante da idade cronológica. E isso se dá com ações que evitem ou minimizem fatores que podem levar a essas doenças, estabelecendo verdadeiros pilares do envelhecimento saudável.[3]

[2] Bible Hub, verbete *diaphtheirô*, G1311, <https://biblehub.com/greek/1311.htm>.
[3] Aldrin Marshall de Toledo Rocha, *Rumo aos 120: Como desfrutar a realidade bíblica e científica de uma vida plena* (São Paulo: Hagnos [no prelo]).

Que nossa compreensão mude! Que o cuidado do corpo seja não um mero ato de vaidade, mas, sim, a valorização da saúde e, acima de tudo, um ato de boa mordomia que expressa nosso entendimento da redenção e a responsabilidade que temos de cuidar bem do que nos foi confiado — mas que não é nosso.

Apresento, novamente, o texto utilizado no início do capítulo, desta vez, utilizando a paráfrase bíblica *A Mensagem*:

> Ou vocês não sabem que o corpo é um lugar sagrado, onde mora o Espírito Santo? Vocês percebem que não podem viver de qualquer maneira, desperdiçando algo pelo qual Deus pagou um preço tão alto? A parte física não é mero apêndice da parte espiritual. Tudo pertence a Deus. Portanto, deixem que as pessoas vejam Deus no corpo de vocês e através dele.
>
> 1Coríntios 6.19-20

## Você já foi redimido?

Encerro este capítulo chamando sua atenção para algo ainda mais importante que o cuidado do corpo: a salvação de sua alma.

O passo inicial, para viver essa redenção plena e duradoura, é a rendição completa de nossa vida a Cristo. A mensagem de Jesus era muito clara: "O tempo está cumprido, e o Reino de Deus está próximo; *arrependam-se e creiam* no evangelho" (Mc 1.15). As pessoas devem se arrepender de seus pecados e crer no evangelho da salvação.

Depois do arrependimento deve vir a fé: "Deus amou o mundo de tal maneira que deu o seu Filho unigênito, para que *todo o que nele crê* não pereça, mas tenha a vida eterna" (Jo 3.16). Não se trata apenas de crer que Jesus existe e é o Filho de Deus; deve-se crer em sua morte e ressurreição como um sacrifício feito em nosso lugar — os verdadeiros merecedores da sentença que ele suportou.

E essa fé necessita ser verbalizada. A Palavra de Deus assegura: "Se *com a boca* você confessar Jesus como Senhor e em seu coração crer que Deus o ressuscitou dentre os mortos, você será salvo. Porque com o coração se crê para a justiça e *com a boca* se confessa para a salvação" (Rm 10.9-10). Se você ainda não tomou a decisão de fazer de Cristo seu Senhor e Salvador, pode fazê-lo agora mesmo. A redenção, realizada por Jesus Cristo, requer apropriação pessoal. Ou, caso já tenha feito isso um dia, e porventura tenha se afastado dele e se desviado do caminho da justiça, você também pode consertar-se com Deus imediatamente. Com a finalidade de ajudá-lo a expressar sua fé, registro adiante uma oração que, se você entende que expressa, de forma sincera, aquilo em que seu coração, com o entendimento bíblico recebido, passou a crer, deve ser declarada em voz alta de modo a verbalizar a fé do coração:

> *Senhor Jesus, reconheço hoje minha condição de pecador e também o fato de que tu és o Salvador da humanidade. Eu me arrependo de meus pecados que custaram tua morte e me aproprio, pela fé, da redenção consumada em tua ressurreição. Entrego o controle de minha vida em tuas mãos e oro para que, a partir de hoje, teu Espírito faça de mim uma nova criatura. Recebo tua graça e a justificação que dela provém. Creio que agora sou teu filho e que pertenço totalmente a ti. Peço que me guies nessa nova jornada, em nome de Jesus, amém!*

Se você fez sua decisão por Cristo, há algumas coisas que serão indispensáveis a partir de agora. Você não deve tentar viver sua fé sozinho; procure uma igreja evangélica para ser batizado e poder congregar com parte de sua nova família, a família de Deus. Adquira uma Bíblia e passe a ler e meditar nela diariamente. Procure orar com frequência. Esses recursos serão muito importantes para o seu crescimento espiritual.

# 5

# EVITE A SOBRECARGA

Quando ele fez menção da arca de Deus, Eli caiu da cadeira para trás, junto ao portão da cidade, quebrou o pescoço e morreu. Ele era um homem velho e pesado, e havia julgado Israel durante quarenta anos.

1SAMUEL 4.18

Alguns anos atrás, ainda no início do processo de entender os valores bíblicos sobre o cuidado do corpo e, a partir daí, ajustar meu estilo de vida, o Senhor chamou minha atenção para um texto bíblico:

> Se alguma mulher crente tem viúvas em sua família, socorra-as, para que a igreja *não fique sobrecarregada* e possa socorrer as viúvas que não têm ninguém.
>
> 1Timóteo 5.16

O escrito de Paulo se refere, obviamente, ao cuidado com as viúvas e a necessidade de que a igreja sustentasse aquelas senhoras que se encontravam sem amparo familiar. Uma orientação clara sobre a importância de recompensar os progenitores na velhice já havia sido dada (1Tm 5.4), e agora o apóstolo instrui Timóteo a respeito de quais viúvas seriam cuidadas pela igreja, e quais não seriam. A razão de tal distinção é "para que a igreja não fique sobrecarregada".

Recordo que, enquanto meditava nesse texto, o Espírito Santo me falou ao coração: "Nenhuma sobrecarga é sábia..." A princípio, deduzi que Deus queria me mostrar alguma verdade acerca das atividades da igreja — que é o contexto do versículo — quando a frase foi completada: "... nem mesmo o seu excesso de peso!".

Nesse instante, entendi que a lógica por trás de uma instrução dada às igrejas supervisionadas por Timóteo era exatamente a mesma que devemos considerar ao refletir acerca de nosso próprio peso.

## Consequências do excesso de peso

Sem dúvida, quando há muito peso em qualquer coisa — ou *pessoa* — a tarefa de se carregar aquilo que é pesado torna-se mais desafiadora. Uma casa cuja construção se torna mais pesada do que podem suportar seus alicerces seguramente terá problemas. Um automóvel que extrapola o peso limite que sua suspensão pode aguentar certamente sofrerá danos. De igual modo, uma embarcação que excede o peso ideal de carga pode vir a afundar. Em tais circunstâncias, *aliviar o peso* talvez seja o único modo de evitar tragédias piores. Isso é parte de um entendimento antigo — e básico — que sempre foi respeitado na navegação. É curioso observar que as Escrituras também registram isso no já mencionado relato do naufrágio sofrido pelo apóstolo Paulo:

> Açoitados severamente pela tormenta, no dia seguinte começaram a *jogar a carga* no mar. E, no terceiro dia, nós mesmos, com as próprias mãos, lançamos ao mar a armação do navio.
>
> Atos 27.18-19

Por que eles jogaram a carga no mar? Ora, a carga era valiosa, e provavelmente seu transporte era parte do motivo daquela viagem, talvez a principal. Porém, para evitar o risco de ir a pique, o navio precisava de alívio daquele peso.

Se o excesso de peso é danoso em qualquer outra circunstância, por que deduziríamos que carregar peso extra no corpo não nos afetará?

Será que não temos nos recusado a admitir que, para não naufragar em nossa saúde física, seria sensato nos livrarmos dos (vários) quilos extras que muitos de nós carregamos?

Sei que esse não é o único parâmetro de uma avaliação da saúde e seus riscos, mas a obesidade, indubitavelmente, está entre os que deveriam ser classificados como principais. Uma pesquisa do centro norte-americano de pesquisa em saúde Kaiser Permanente destacou que "quem é obeso morre mais cedo do que as pessoas com um peso normal ou com sobrepeso". A pesquisa durou doze anos e analisou o índice de massa corporal (IMC) e a morte em 11.326 adultos. Embora o foco tenha sido a mortalidade, e não a qualidade de vida, a pesquisa constatou que "existem diversas consequências negativas para a saúde associadas à obesidade, incluindo pressão alta, colesterol alto e diabetes".[1]

Outra matéria, publicada na *Veja Saúde*, enfatiza que "vai longe o tempo em que a obesidade era apenas um problema estético". Décadas de estudos mostraram que os quilos além da conta desencadeiam uma porção de malefícios à saúde. E quando a gordura se acumula na região da barriga o estrago tende a ser maior. "O tecido gorduroso entremeado naquela área colabora para a produção de substâncias inflamatórias que estão por trás de males cardiovasculares", diz o cardiologista Álvaro Avezum, da Sociedade de Cardiologia do Estado de São Paulo. Essas malfeitoras geralmente circulam por todo o organismo e, não raro, acabam trombando com as artérias e favorecendo a aterosclerose e o infarto.[2]

O dr. David Perlmutter, médico neurologista e autor do livro *A dieta da mente: Descubra os assassinos silenciosos do seu cérebro*, adverte que o sobrepeso, além do risco de diabetes e ao sistema cardiovascular (sem contar o dos danos às juntas e articulações), também proporciona dano cerebral:

> A maioria das pessoas tem uma ideia razoável de que carregar peso extra é ruim para elas. Mas se você precisa de apenas uma razão a mais para perder os quilos em excesso, talvez o medo de perder a cabeça — física e literalmente — vai motivá-lo a tirar o traseiro da cadeira. [...]

[1] "Excesso de peso pode gerar consequências devastadoras para o coração, o fígado e a libido, por exemplo", *Correio Braziliense*, 29 de dezembro de 2009, <https://www.correiobraziliense.com.br/app/noticia/ciencia-e-saude/2009/12/29/interna_ciencia_saude,163332/excesso-de-peso-pode-gerar-consequencias-devastadoras-para-o-coracao.shtml>.

[2] "Sobrepeso e excesso de gordura abdominal são prejudiciais ao coração", *Veja Saúde*, 10 de março de 2014, <https://saude.abril.com.br/bem-estar/sobrepeso-e-excesso-de-gordura-abdominal-sao-prejudiciais-ao-coracao/>.

Hoje sabemos que as células adiposas desempenham na fisiologia humana um papel muito maior do que simplesmente armazenar calorias. As massas de gordura corporal formam órgãos hormonais complexos e sofisticados, que são tudo, menos passivos. Sim, você leu isso mesmo: a gordura é um *órgão*. E um órgão que pode ser dos mais industriosos do corpo, desempenhando várias funções além de nos manter aquecidos e protegidos. Isso é particularmente verdadeiro em relação à gordura visceral — aquela que envolve nossos órgãos internos, "viscerais", como o fígado, os rins, o pâncreas, o coração e os intestinos. A gordura visceral foi muito abordada pela mídia, nos últimos anos, por um bom motivo: hoje sabemos que é o tipo mais devastador para nossa saúde. Podemos lamentar coxas que se encostam, o músculo do tchauzinho, os pneuzinhos, as celulites e os popozões, mas o pior de todos os tipos de gordura é aquele que não podemos ver, sentir ou tocar. Em casos extremos, podemos vê-la em barrigas salientes e dobrinhas, que são sinais exteriores de órgãos internos envolvidos por gordura (extamente por isso, a medida da cintura costuma ser uma medida de "saúde"; quanto maior a circunferência da cintura, maior é o risco de doenças e mortes).

Resumindo: mais que um simples predador à espreita atrás de uma árvore, a gordura visceral é uma inimiga armada e perigosa. O número de problemas de saúde hoje relacionados a ela é enorme, desde os mais óbvios, como a obesidade e a sindrome metabólica, até os não tão óbvios — câncer, transtornos autoimunes e doenças cerebrais.[3]

O neurologista ainda assevera que "para cada quilo a mais no corpo, especialmente obesidade central, que se define por uma alta razão entre a cintura e o quadril, o cérebro fica um pouco menor. É irônico que, à medida que o corpo cresce, o cérebro diminui".[4]

O dr. Joseph Mercola adverte, em seu livro *Combustível para a saúde*, sobre os riscos da circunferência abdominal aumentada, um dos indicativos de sobrepeso e obesidade:

A circunferência abdominal é uma medida importante, pois ela é uma referência bem precisa para prever seu risco de morte por ataque cardíaco, entre outras causas. [...]

[3] David Perlmutter, *A dieta da mente: Descubra os assassinos silencioso do seu cérebro* (São Paulo: Paralela, 2020), p. 162-163.

[4] Ibid., p. 164.

Sua circunferência abdominal é um prognóstico tão importante da saúde porque o tipo de gordura armazenada na sua cintura, chamada de "gordura visceral", está relacionada com a liberação de proteínas e hormônios que provocam inflamação, o que pode danificar suas artérias e afetar como você metaboliza açúcares e gorduras. Por isso, a gordura visceral está muito ligada com diabetes tipo 2, doenças cardíacas, AVC, mal de Alzheimer, além de outras doenças crônicas.[5]

## Uma nova epidemia

A obesidade está sendo denominada por muitos profissionais da área da saúde como "a nova epidemia". Em artigo intitulado "Doenças desencadeadas ou agravadas pela obesidade", disponibilizado pelo site da Associação Brasileira para o Estudo da Obesidade e da Síndrome Metabólica (ABESO), a dra. Maria Edna de Melo pontua os riscos da obesidade:

> A obesidade é uma doença cada vez mais comum, cuja prevalência já atinge proporções epidêmicas. Uma grande preocupação médica é o risco elevado de doenças associadas ao sobrepeso e à obesidade, tais como diabetes, doenças cardiovasculares (DCV) e alguns cânceres. [...]
>
> Vários estudos têm demonstrado que a obesidade está fortemente associada a um risco maior de desfechos, sejam cardiovasculares, câncer ou mortalidade. No estudo National Health and Nutrition Examination Study III (NHANES III), que envolveu mais de 16 mil participantes, a obesidade foi associada a um aumento da prevalência de diabetes tipo 2 (DM2), doença da vesícula biliar, doença arterial coronariana (DAC), hipertensão arterial sistêmica (HAS), osteoartrose (OA) e de dislipidemia. Resultados de outros estudos, entre eles o Survey of Health, Ageing and Retirement in Europe (SHARE) e o Swedish Obese Study (SOS), apontam para uma forte associação entre obesidade e a prevalência de doenças associadas e queixas de saúde física.
>
> A obesidade é causa de incapacidade funcional, de redução da qualidade de vida, redução da expectativa de vida e aumento da mortalidade. Condições crônicas, como doença renal, osteoartrose, câncer, DM2, apneia do sono, doença hepática gordurosa não alcoólica (DHGNA), HAS e, mais importante, DCV, estão diretamente relacionadas com incapacidade funcional e com a obesidade. Além

[5] Joseph Mercola, *Combustível para a saúde: A revolucionária dieta para prevenir doenças e auxiliar no combate ao câncer, no aumento da capacidade cerebral e energia vital e na manutenção do peso* (São Paulo: nVersos, 2017), p. 134.

disso, muitas dessas comorbidades também estão diretamente associadas à DCV. Muitos estudos epidemiológicos têm confirmado que a perda de peso leva à melhora dessas doenças, reduzindo os fatores de risco e a mortalidade. [...]

Além das doenças acima, uma série de outras doenças, que podem acometer qualquer órgão ou sistema, foi reconhecida como associada ao aumento de peso. Podem ser citadas a doença do refluxo gastroesofágico, a asma brônquica, insuficiência renal crônica, infertilidade masculina e feminina, disfunção erétil, síndrome dos ovários policísticos, veias varicosas e doença hemorroidária, hipertensão intracraniana idiopática (pseudotumor cerebri), disfunção cognitiva e demência.[6]

É fato que os relatos da presença de obesos na sociedade remontam a épocas antigas, como os períodos bíblicos do Antigo Testamento. Observe a menção de Eglom, rei dos moabitas, por exemplo:

Então os filhos de Israel clamaram ao SENHOR, e o SENHOR lhes suscitou um libertador: Eúde, homem canhoto, filho de Gera, benjamita. Por meio dele, os filhos de Israel enviaram tributo a Eglom, rei dos moabitas. Eúde fez para si um punhal de dois gumes, do comprimento de quase meio metro; e cingiu-o debaixo da sua roupa, do lado direito. Então ele levou o tributo a Eglom, rei dos moabitas. *Eglom era um homem muito gordo*. Depois de entregar o tributo, Eúde saiu com os carregadores do tributo. Ele, porém, voltou do ponto em que estavam as imagens de escultura ao pé de Gilgal e disse ao rei:

— Tenho uma palavra secreta para o senhor, ó rei.

O rei disse:

— Cale-se.

Então todos os que estavam com o rei saíram de sua presença. Eúde entrou numa sala de verão, que o rei tinha só para si, e onde ele estava sentado. Eúde disse:

— Tenho uma palavra de Deus para o senhor.

E Eglom se levantou da cadeira. Então Eúde estendeu a mão esquerda, puxou o seu punhal do lado direito e *o cravou na barriga do rei*, de tal maneira que *entrou também o cabo com a lâmina*; e, *porque não tirou o punhal da barriga, a gordura se fechou sobre ele*. Eúde saiu por uma portinhola, passou para a antessala, depois de fechar e trancar as portas atrás de si.

Juízes 3.15-23

[6] Dra. Maria Edno de Mello, "Doenças desencadeadas ou agravadas pela obesidade", Associação Brasileira para o Estudo da Obesidade e da Síndrome Metabólica (ABESO), 4 de maio de 2011, <https://abeso.org.br/wp-content/uploads/2019/12/5521afaf13cb9-1.pdf>.

A ênfase, na narrativa bíblica, é de que o rei era *muito* gordo. Não apenas gordo, mas muito gordo. Era tão obeso a ponto de o cabo do punhal usado para golpear sua barriga ter sido "engolido" pela gordura!

Outro exemplo bíblico é o de Eli, sumo sacerdote durante a infância do profeta Samuel:

> Quando ele fez menção da arca de Deus, Eli caiu da cadeira para trás, junto ao portão da cidade, quebrou o pescoço e morreu. Ele era um homem velho e *pesado*, e havia julgado Israel durante quarenta anos.
>
> 1Samuel 4.18

O texto destaca que ele "era um homem velho e *pesado*". Penso que sua morte não é atribuída apenas ao acidente em si, à queda da cadeira, mas ao fato de ser pesado — além de velho —, bem como ao impacto amplificado pelo peso na queda.

O fator mais importante, no entanto, não é especular sobre a razão da morte de Eli, e sim destacar a presença de pessoas obesas, pesadas, ao longo da história. Pessoas com peso acima do padrão não são novidade. A diferença entre a antiguidade e a atualidade, entretanto, tem a ver com a *quantidade* de gente com sobrepeso. O que já foi, no passado, exceção, está se tornando comum, corriqueiro. E, justamente por isso, nossa capacidade de perceber a seriedade do problema acaba desvanecendo.

Sei que as pessoas que estão acima do peso, de forma geral, não gostam desse tipo de conversa que visa alertá-las. Por diversas razões. Talvez seja por uma abordagem hostil, não apropriada. Talvez se deva ao aspecto emocional, por soar como desaprovação ou mesmo condenação. Talvez seja por expor uma realidade que não queremos admitir ou enfrentar. Ou por outros fatores. Ou mesmo a soma de vários deles. Eu, particularmente, recordo que não gostava das conversas do tipo "quem avisa amigo é" quando estava *bem acima* do peso. E diria que até hoje não sei classificar com exatidão a razão de meu incômodo — talvez fosse a soma de alguns deles.

Mas, como diziam os antigos, temos de "dar nomes aos bois". *Obesidade é doença*. Ela não apenas contribui para o desenvolvimento (e agravamento) de muitas outras doenças e enfermidades; ela própria é classificada como uma doença. A jornalista Juliana Conte, em artigo intitulado "Por que a obesidade é considerada doença crônica?", postado no Portal Drauzio Varella, afirma:

Em 2013, a American Medical Association, uma das organizações médicas mais influentes do mundo, decidiu classificar a obesidade como doença. Ao longo dos anos, outras entidades médicas internacionais — incluindo a Organização Mundial da Saúde (OMS) — reconheceram a condição como um problema crônico, que necessita de tratamento específico e de longo prazo.

Em termos médicos, a obesidade é definida como um depósito de excesso de gordura que prejudica a saúde.[7]

"O impacto da obesidade", artigo no site do Ministério da Saúde apresenta a questão do seguinte modo:

> Falar em excesso de peso e obesidade vai muito além dos números da balança. A obesidade é uma doença complexa, de origem multifatorial: existem diversas causas envolvidas em seu surgimento, que podem ser de natureza individual, coletiva, social, econômica, cultural e ambiental. Isso significa dizer que a condição de obesidade não está relacionada apenas a atitudes e comportamentos individuais.
>
> A obesidade é uma doença que tem crescido no Brasil e no mundo. Traduzindo em números, aproximadamente 60% dos adultos brasileiros já têm excesso de peso, o que representa cerca de 96 milhões de pessoas, e 1 em cada 4 tem obesidade, num total de mais de 41 milhões de pessoas, segundo a Pesquisa Nacional de Saúde PNS/2020. Em 2021 9,1 milhões de indivíduos adultos atendidos na APS já tinham diagnóstico de excesso de peso e mais de 4 milhões, de obesidade, sendo que 624 mil tinham obesidade grave (grau III).
>
> Pensando no futuro da sociedade, esses dados servem de grande alerta. Isso porque o crescimento da obesidade confere grandes impactos para o sistema de saúde, e essas consequências não se limitam aos custos econômicos. Entram nessa lista os custos sociais, como a diminuição da qualidade de vida, a perda de produtividade, a mortalidade precoce e os problemas relacionados às interações sociais. Estamos falando especificamente dos estigmas sofridos pelas pessoas com obesidade, o que pode ser traduzido em preconceitos, bullying, discriminação, entre outros. Atitudes que prejudicam os relacionamentos e reduzem o bem-estar emocional das pessoas com sobrepeso e obesidade.
>
> Sobre o impacto financeiro, Leandro Rezende, que é epidemiologista e professor adjunto do Departamento de Medicina Preventiva da Universidade Federal de São Paulo (USP), menciona que já existe um estudo que mostra os

[7] Juliana Conte, "Por que a obesidade é considerada doença crônica?", Portal Drauzio Varella, <https://drauziovarella.uol.com.br/reportagens/por-que-a-obesidade-e-considerada-doenca-cronica/>.

custos diretos com tratamentos ambulatoriais e hospitalares de aproximadamente 30 doenças e agravos em saúde que estão relacionados ao excesso de peso e à obesidade e o percentual do custo total que poderia ser atribuído à obesidade. O resultado mostrou que dos 6 bilhões de reais que foram utilizados, em 2019, com tratamento de doenças crônicas, aproximadamente 22% ou 1,5 bilhão foram atribuídos ao excesso de peso e à obesidade.

Mas além dessa amostra, o médico relembra que existem custos que podem ser classificados como pessoais, sendo aqueles que saem diretamente do bolso do cidadão, como a perda da qualidade de vida, perda de produtividade no trabalho e mortalidade precoce.[8]

A sobrecarga de peso é, inquestionavelmente, um problema. Pode até, para alguns, não parecer que seja, no momento, mas precisa ser visto como tal no longo prazo. Recordo da ocasião em que fui questionado por um médico, o dr. Jucenir, quando estava no auge de minha obesidade mórbida, sobre quantas pessoas eu conhecia com excesso de peso em idade avançada. Respondi que não me lembrava de ninguém.

— É porque é muito raro você achar algum idoso com tanto sobrepeso — pontuou o doutor.

— Por que ao envelhecer emagrecemos? — questionei.

— Não. É porque as pessoas com tanto peso costumam morrer mais cedo que as demais — ele respondeu.

Fiquei chocado. Mas agradeço a Deus por ter sido confrontado desse modo. Essa foi uma de várias "peças do quebra-cabeça" que estava sendo montado em minha nova forma de pensar o assunto.

Em outra ocasião, brinquei com um amigo — sempre zeloso com sua saúde — que tentava me chamar a atenção para a importância de emagrecer.

— Preciso que você me dê um bom motivo para emagrecer — provoquei.

— Se a vida já é tão pesada, para que *carregar tantos quilos a mais?* — ele retrucou.

Eu ri. Mas ri sozinho. Ele não estava brincando.

Nenhuma sobrecarga é sábia. Além das muitas consequências que já foram enfatizadas, precisamos pensar no que o sobrepeso fará com nossas

[8] "O impacto da obesidade", Ministério da Saúde, 7 de junho de 2022, <https://www.gov.br/saude/pt-br/assuntos/saude-brasil/eu-quero-ter-peso-saudavel/noticias/2022/o-impacto-da-obesidade>.

costas, joelhos e juntas do corpo de forma geral. O sobrepeso não ajuda a mobilidade do presente e praticamente condena a do futuro, comprometendo o que poderia ser uma "boa velhice". Como já foi dito, a boa velhice não tem a ver apenas com acrescentar anos à sua vida, mas sobretudo com acrescentar vida a seus anos.

A obesidade é um problema. E sério. E esse problema precisa ser resolvido. Os prognósticos estatísticos, no entanto, são alarmantes. Uma matéria publicada no G1 aponta:

> A obesidade deve atingir quase 30% da população adulta do Brasil em 2030. É o que estima o Atlas Mundial da Obesidade 2022, publicado pela Federação Mundial de Obesidade (World Obesity Federation), uma organização voltada para redução, prevenção e tratamento da obesidade.
>
> O Brasil está entre os países com maiores índices de obesidade no mundo. Segundo a federação, estamos entre os 11 países onde vivem a metade das mulheres com obesidade e entre os nove que abrigam metade dos homens com obesidade.[9]

A matéria, datada de 9 de maio de 2022, ainda registra a seguinte — e assustadora — previsão:

> O levantamento também prevê que um bilhão de pessoas em todo o mundo viverão com obesidade em 2030 (17,5% de toda a população adulta). Segundo o atlas, uma a cada cinco mulheres e um a cada sete homens estarão obesos daqui a oito anos.
>
> A federação alerta que os países não apenas não alcançarão a meta da OMS para 2025 de interromper o aumento da obesidade nos níveis de 2010, mas que "o número de pessoas com obesidade está prestes a dobrar em todo o mundo".
>
> "Os líderes políticos e de saúde pública precisam reconhecer a gravidade do desafio da obesidade e agir. Os números em nosso relatório são chocantes, mas o que é ainda mais chocante é o quão inadequada nossa resposta tem sido. Todos têm um direito básico à prevenção, tratamento e acesso à gestão que funcione para eles. Agora é a hora de uma ação conjunta, decisiva e centrada nas pessoas para mudar a maré da obesidade", disse Johanna Ralston, CEO da Federação Mundial de Obesidade.[10]

[9] "Obesidade deve atingir quase 30% dos adultos no Brasil em 2030, diz levantamento", G1, 5 de setembro de 2022, <https://g1.globo.com/saude/noticia/2022/05/09/obesidade-deve-atingir-quase-30percent-dos-adultos-no-brasil-em-2030-diz-levantamento.ghtml>.
[10] Ibid.

## Reconheça o problema

*Reconhecer o problema* é o primeiro passo para revertê-lo. Deus age assim conosco. Certa ocasião me perguntaram o que eu achava sobre o toque angelical, com brasa viva tirada do altar, na boca do profeta Isaías. Permita-me transcrever a passagem bíblica antes de comentá-la:

> Então eu disse:
>
> — Ai de mim! Estou perdido! Porque *sou homem de lábios impuros*, e habito no meio de um povo de lábios impuros; e os meus olhos viram o Rei, o SENHOR dos Exércitos!
>
> Então um dos serafins voou para mim, trazendo na mão *uma brasa viva*, que havia *tirado do altar* com uma pinça. Com a brasa *tocou a minha boca* e disse:
>
> — Eis que esta brasa tocou *os seus lábios*. A sua iniquidade foi tirada, e o seu pecado, perdoado.
>
> Isaías 6.5-7

O profeta reconheceu que seu problema tinha a ver com a boca, com lábios impuros, ou seja, com pecados cometidos com a língua, por meio da fala. Onde Deus o tocou? Naquela mesma área em que ele reconheceu que tinha um problema!

É assim que Deus age. Os homens são chamados ao arrependimento, que é, em essência, o reconhecimento de uma situação espiritual deficiente. A admissão do problema costuma ser gerada por uma nova consciência — que obviamente não se tinha antes — e que, por sua vez, foi gerada pela pregação da Palavra. Sabemos que essa obra transformadora da salvação não é alcançada de forma unilateral, excluindo a ação divina. Por outro lado, também não é um ato unilateral divino. O ser humano é chamado a interagir com o Senhor e deve corresponder à pregação que, antes de oferecer solução, ajuda primeiramente no diagnóstico espiritual da condição do pecador.

Isso é um fato. E, seguindo o paralelo, se não começarmos pelo *reconhecimento* de que a falta de cuidado do corpo é um problema grave (e, dentro desse contexto, o excesso de peso), jamais teremos a capacidade de ajustá-lo.

Milhares de estudos, com muitos milhares de pessoas, por longos períodos de avaliação, seguem atestando, no mundo todo, que o excesso de peso é causador de inúmeras enfermidades e deficiências em nossa saúde.

Até quando tentaremos, nas palavras da geração de meus pais, "tapar o sol com a peneira"?

A obesidade é um problema a ser combatido, jamais aceito. E precisamos focar o ponto certo. Lembro-me, quando ainda estava excessivamente pesado, de ouvir um comentário condenando a gula e falta de domínio próprio dos obesos. Misturando assuntos, a pessoa ainda mencionou "a falta de jejum". Eu nem dava ouvidos a tais comentários. Por quê? Porque jejuava mais do que a maioria das pessoas que assim falavam. Não significava, entretanto, que eu não deveria evitar o excesso de comida de outros momentos e melhorar no quesito domínio próprio. Mas a abordagem errada em alguns aspectos não me ajudava a enxergar a verdade comentada por outras pessoas.

Ouvi muita gente próxima de mim, com um pouco mais de convívio, fazer o seguinte comentário na época de meu excesso de peso: "Você come bem menos do que eu imaginava". E eu pensava comigo: "Eles me julgam um glutão só pelo meu peso?", e, dessa forma, deduzia que não era um glutão. O fato, no entanto, que eu viria a constatar depois, é que embora não fosse *tão* glutão quanto alguns imaginavam, não significava que, em certa medida, eu não o fosse.

A obesidade é acarretada por vários fatores, e não apenas pela quantidade de ingestão calórica. Eu não dormia direito, não me alimentava direito (e aqui refiro-me ao *que* comer, e não somente a *quanto*) e também não me exercitava. E ainda tinha um estilo de vida bem estressante. Comento isso porque o cuidado do corpo precisa ser visto como algo maior do que apenas consertar o quesito peso e alimentação e, mesmo dentro desse espectro, outras questões devem ser consideradas. É o que veremos a seguir.

# 6

# ALIMENTAÇÃO

Tudo o que se move e vive servirá de alimento para vocês. Assim como lhes dei a erva verde, agora lhes dou todas as coisas. Carne, porém, com sua vida, isto é, com seu sangue, vocês não devem comer.

GÊNESIS 9.3-4

Penso ser necessário, antes de qualquer discussão sobre comida na Bíblia, estabelecer o *propósito divino* por trás do que comemos.

O primeiro fundamento é o *reconhecimento* de Deus como o Criador de todas as coisas — tanto dos que consomem alimentos como do próprio alimento. O segundo fundamento está relacionado ao *propósito* para o qual os alimentos foram criados.

Quanto ao primeiro, convém reconhecer que as Escrituras Sagradas atribuem a Deus a criação e a dádiva dos alimentos:

> E *Deus* disse ainda:
>
> — Eis que lhes tenho dado *todas as ervas que dão semente* e se acham na superfície de toda a terra e todas as árvores em que há *fruto que dê semente;* isso *servirá de alimento para vocês*. E para todos os *animais* da terra, todas as aves dos céus e todos os animais que rastejam sobre a terra, em que há fôlego de vida, *toda erva verde lhes servirá de alimento.*
>
> E assim aconteceu.
>
> Gênesis 1.29-30

E não podemos concluir que, depois da criação, o Senhor tenha se ausentado dos processos para garantir o ciclo de provisão alimentar que foram por ele mesmo estabelecidos. O salmista declarou:

> Tu visitas a terra e a regas;
> tu a enriqueces grandemente.
> Os ribeiros de Deus são abundantes de água;
> *provês o cereal,*
> porque para isso preparas a terra,
> regando-lhe os sulcos e desmanchando os torrões.
> Tu a amoleces com chuviscos
> e lhe abençoas a produção.
>
> Salmos 65.9-10

> Do alto de tua morada, regas os montes;
> a terra farta-se do fruto de tuas obras.
> *Fazes crescer* a relva para os animais
> e *as plantas que o ser humano cultiva,*
> para que da terra tire *o seu alimento.*
>
> Salmos 104.13-14

Nosso Senhor Jesus, no Sermão do Monte, também afirmou que o Pai celeste segue comprometido com a provisão alimentar de sua criação:

> Observem as aves do céu, que não semeiam, não colhem, nem ajuntam em celeiros. No entanto, o Pai de vocês, que está no céu, *as sustenta.* Será que vocês não valem muito mais do que as aves?
>
> Mateus 6.26

De acordo com a instrução de Cristo, o Criador segue sustentando os animais e, ainda mais, a nós que, a seus olhos, temos mais valor que as aves.

Fato: o Criador é o responsável pela origem dos alimentos e de sua necessidade. Portanto, os alimentos foram criados para ser fonte de energia, de sustento. Daí a instrução divina a Noé, antes do dilúvio: "Leve com você todo tipo de comida e armazene-a com você; isso será para alimento, a você e a eles" (Gn 6.21).

Mas a comida possui somente essa finalidade, o sustento das criaturas de Deus? Não! Ela também é, de acordo com as Escrituras, *fonte de prazer.*

Esse é o segundo fundamento. O Senhor poderia ter feito um único fruto, com uma só cor, sabor, cheiro, textura e tamanho; nele poderiam estar contidos todos os nutrientes necessários ao corpo, garantindo assim nossa subsistência. Em vez disso, ele optou pela diversidade. Criou frutos com quase todas as cores, sabores, aromas, texturas, tamanhos e formatos. Isso indica que o Criador quis que nosso paladar degustasse uma variedade de sabores, que nosso olfato desfrutasse uma diversidade de aromas, que nosso tato diferenciasse a multiplicidade de texturas e, ainda, que nossos olhos curtissem a variedade de cores, tamanhos e formatos desses frutos. Como está escrito: "Então o SENHOR Deus fez nascer do solo *todo tipo* de árvores agradáveis aos olhos e boas para alimento" (Gn 2.9).

Por isso, várias passagens bíblicas falam de saciedade e alegria no consumo dos alimentos, seguidos de gratidão a Deus:

> Vocês comerão e *ficarão satisfeitos*, e louvarão o SENHOR, seu Deus, pela boa terra que lhes deu.
>
> Deuteronômio 8.10

> Vão para casa, comam e bebam *o que tiverem de melhor*. E mandem porções aos que não têm nada preparado para si. Porque este dia é consagrado ao nosso Senhor. Portanto, não fiquem tristes, porque *a alegria* do SENHOR é a força de vocês.
>
> Neemias 8.10

O alimento envolve uma satisfação que vai além do sustento. Tem a ver com sentimentos, como a determinação de alegrar-se diante do Senhor comendo o que se tem de melhor.

Se o primeiro fundamento é o reconhecimento de Deus como o Criador, tanto dos alimentos como daqueles que se alimentam, o segundo tem a ver com o propósito dessa criação: o alimento é fonte de energia vital e também de deleite. Não se trata de reconhecer um ou outro, mas sim ambos. Todavia, é a parte do prazer, mais do que a do sustento, que requer de nossa parte equilíbrio, moderação e uma maneira correta de relacionar-se com a comida.

Em outras palavras, se o primeiro fundamento tem a ver com o reconhecimento dos alimentos como algo bom, *procedente de Deus*, o segundo tem a ver com o entendimento de que, associado ao deleite que nos é permitido ter, devemos *ser responsáveis* ao usufruir da comida. Isso implica saber conter nossos desejos e fazer escolhas saudáveis, moderando não apenas a quantidade como também a qualidade dos alimentos ingeridos.

## Um perigo que muitos não enxergam

Deus criou muitas coisas, todas elas *boas*, mas advertiu que podemos errar no modo como nos relacionamos com elas. Ou seja, errado não é necessariamente aquilo que se fez; por vezes o erro é definido por *como* se faz algo e não pelo *que* é feito.

Um exemplo disso é o descanso, assunto que abordaremos mais à frente. Trata-se de uma instituição divina. Na esfera do descanso cabe reconhecer que necessitamos, entre outras coisas, do repouso do sono. Entretanto, alguém pode cruzar os limites do descanso sadio e exceder-se, adentrando o terreno da preguiça; e o excesso de tempo na cama, diferentemente do sono em si, é condenado nas Escrituras:

> Vá ter com a formiga, ó preguiçoso!
> Observe os caminhos dela e seja sábio.
> Não tendo ela chefe,
> nem oficial, nem comandante,
> no verão prepara a sua comida,
> no tempo da colheita ajunta o seu mantimento.
> Ó preguiçoso, *até quando vai ficar deitado?*
> *Quando se levantará do seu sono?*
> Um pouco de sono, um breve cochilo,
> braços cruzados para descansar,
> e a sua pobreza virá como um ladrão,
> a miséria atacará como um homem armado.
>
> Provérbios 6.6-11

Outra forma de entender esse princípio diz respeito ao ato sexual. O sexo é parte do plano divino, uma bênção que foi dada aos que abraçaram a aliança matrimonial. Não se limita à procriação e está relacionado ao deleite dos cônjuges:

> Que *o marido conceda à esposa o que lhe é devido*, e também, de igual modo, *a esposa, ao seu marido*. A esposa não tem poder sobre o seu próprio corpo, e sim o marido;

e também, de igual modo, o marido não tem poder sobre o seu próprio corpo, e sim a esposa. *Não se privem um ao outro*, a não ser talvez por mútuo consentimento, por algum tempo, para se dedicarem à oração. Depois, *retomem a vida conjugal*, para que Satanás não tente vocês por não terem domínio próprio.

1Coríntios 7.3-5

Evidentemente, ao determinar que não haja períodos prolongados de privação da intimidade física do casal, a Bíblia sinaliza uma frequência que não condiz apenas com a ideia de procriação — um suposto propósito exclusivo do ato conjugal, como é defendido pela Igreja Católica, que, também por causa dessa crença, nunca foi favorável aos métodos anticoncepcionais. Deduz-se, portanto, que o sexo não é nem sujo, nem vergonhoso, nem pecaminoso. É criação e projeto divino e, como tal, santo, puro e bom.

Entretanto, aquilo que não é errado em si mesmo pode se tornar errado quando praticado incorretamente. Observe a advertência encontrada na epístola aos Hebreus:

*Digno de honra* entre todos seja *o matrimônio*, bem como *o leito conjugal sem mácula*; porque Deus julgará os *impuros* e os *adúlteros*.

Hebreus 13.5

Deus determinou duas coisas a serem honradas por todos: o *matrimônio* e o *leito conjugal sem mácula*. Ele também prometeu julgar dois tipos de comportamentos: os *impuros* e os *adúlteros*.

Quem são os adúlteros? Os que desonram o matrimônio e se envolvem sexualmente com alguém que não é seu cônjuge. Portanto, o sexo praticado dentro do matrimônio é correto, é uma bênção. No entanto, quando essa aliança é quebrada pelo ato sexual com outra pessoa que não seja o cônjuge, o pecado não está no sexo em si, mas em como (ou com quem) ele foi praticado.

E não é apenas pela manutenção da exclusividade do ato sexual entre marido e mulher que Deus mandou honrar o matrimônio. Ele também ordenou ao casal que preservasse sem mácula o leito conjugal. Logo, há certas práticas — ainda que preservando a exclusividade sexual entre os cônjuges — que podem macular o leito conjugal daqueles que não adulteram. Isso derruba o mito de que "dentro de quatro paredes vale tudo". Sob essa lógica, quem são, então, os impuros mencionados no texto? Os impuros, diferentemente dos adúlteros, não erram em *com quem* decidiram manter a intimidade sexual, e sim em *como* optaram fazer isso.[1]

Ou seja, assim como no dilema do descanso *versus* preguiça, temos aqui o dilema do ato sexual puro *versus* adultério ou impureza. É quando o erro não está na coisa em si, e sim na maneira como lidamos com ela.

Dito isso, é hora de reafirmar: a comida é ideia e criação de Deus, mas seu uso incorreto, fora do padrão divino, pode configurar erro e, até mesmo, pecado.

Sendo assim, como a comida tem afetado a humanidade? Será que nos damos conta da força e influência que ela exerce sobre nós? É necessário um melhor entendimento do assunto mediante a avaliação de vários exemplos bíblicos.

Em que aspecto o ser humano foi primeiramente tentado? Em qual área Satanás concentrou seus esforços iniciais? Embora possamos nos aprofundar nos muitos elementos contidos na proposta maligna, precisamos reconhecer que a desgraça da humanidade começou com uma tentação cuja "máscara" envolvia também a comida.

De igual modo, em que aspecto Jesus, o último Adão, foi primeiramente tentado? Os Evangelhos de Mateus e Lucas nos mostram que também foi na área da comida, quando o diabo tentou explorar a fome que Jesus sentia depois de quarenta dias em jejum. Vale destacar, porém, que, diferentemente do primeiro Adão, o último saiu vitorioso sobre a proposta maligna.

Foi por causa da fome e do desejo por comida que Esaú vendeu seu direito de primogenitura, que incluía perpetuar a bênção e os propósitos divinos concedidos a Abraão (Gn 25.29-34). Como nos alerta o autor de Hebreus, "cuidem para que não haja nenhum impuro ou profano, como foi Esaú, o qual, por um prato de comida, vendeu o seu direito de primogenitura" (Hb 12.16).

A Palavra de Deus destaca, acerca do povo de Israel, que "no seu coração, voltaram para o Egito" (At 7.39). Qual o motivo dessa saudade do lugar da escravidão? Entre eles, a comida:

[1] Aos que desejam aprofundar esse entendimento, recomendo a leitura do meu livro *O propósito da família: A importância da visão familiar na relação com Deus* (São Paulo: Vida, 2022). Nele trato detalhadamente do assunto do qual o propósito deste livro não me permite tratar a fundo.

> E o populacho que estava no meio deles veio a ter *grande desejo das comidas dos egípcios*. Também os filhos de Israel começaram a chorar outra vez, dizendo:
>
> — Quem nos dará carne para comer? *Lembramos* dos peixes que comíamos de graça no Egito. *Que saudade* dos pepinos, dos melões, dos alhos silvestres, das cebolas e dos alhos! Mas agora a *nossa alma* está seca, e não vemos nada a não ser este maná.
>
> Números 11.4-6

Somando as expressões "desejo", "lembrança", "saudade" e "alma" destacados no texto bíblico, evidencia-se que o prazer da comida não se limita ao paladar, à capacidade de desfrutar da diversidade dos sabores dos alimentos. Trata-se de algo que também é emocional, que afeta a alma, a sede da vontade, dos sentimentos e dos pensamentos. Mas os efeitos da comida excedem o aspecto físico (do paladar) e emocional (da alma); eles também afetam a vida espiritual. Os exemplos de Adão e Eva, de Esaú e dos israelitas confirmam isso.

Penso ser essa a razão pela qual Paulo, escrevendo à igreja em Filipos, refere-se a alguns que são "inimigos da cruz" e assim os denuncia: "o deus deles é o ventre" (Fp 3.18-19). E, escrevendo aos cristãos de Roma, o apóstolo expõe outros com rótulo semelhante: "não servem a Cristo, nosso Senhor, e sim a seu próprio ventre" (Rm 16.18). A comida, para alguns, tem se tornado um ídolo. Assim como a avareza (Cl 3.5). E o que os dois exemplos têm em comum? É que o dinheiro, assim como o alimento, não é errado em si mesmo; no entanto, a forma errada de lidar com ele tem levado muitos ao tropeço — inclusive na vida espiritual (1Tm 6.9-10).

Essa compreensão deveria nos levar a tratar o assunto com cuidado. A mesma Bíblia que apresenta a comida como fonte de prazer, e não apenas de sustento, mostra a sabedoria de quem aprende a manter a perspectiva de prazer sob controle. Como está escrito:

> Feliz é você, ó terra cujo rei é filho de nobres
> e cujos príncipes se sentam à mesa a seu tempo
> *para refazer as forças*
> e não para se embriagar.
>
> Eclesiastes 10.17

Nem toda refeição deveria ser tratada como festiva e fonte de prazer. A gula, diferentemente da fome, não persegue o sustento, a nutrição saudável, a renovação das forças de que o corpo tanto precisa. Ela está mirando o prazer insistente e, embora seja parte do pacote, não deveria determinar o padrão de como nos alimentamos. A prova disso é que o mesmo Criador que disponibilizou prazer na alimentação sempre estabeleceu, para o ser humano, restrições alimentares.

## Domínio próprio

Não podemos falar de alimentação sem abordar a questão do domínio próprio. Uma vida de alimentação saudável não se limita somente a *quanto* comemos; ela também envolve, inquestionavelmente, as escolhas do *que* comemos (muito embora o segundo não exclua o primeiro; são aspectos complementares e não divergentes).

> *Comer muito* mel *não é bom;*
> assim, procurar a própria honra não é honra.
> Como cidade derrubada, que não tem muralhas,
> assim é aquele que *não tem domínio próprio.*
>
> Provérbios 25.27-28

A expressão hebraica que foi traduzida por "domínio próprio" aponta para aquele que "não pode conter o seu espírito", como consta na Tradução Brasileira. A Nova Versão Internacional recorre à expressão "não sabe dominar-se", enquanto a Nova Tradução na Linguagem de Hoje opta por "não sabe se controlar". Em todas as versões, porém, preserva-se a comparação da pessoa com uma cidade sem muros. Ou seja, a analogia indica que a falta de controle deixa a pessoa vulnerável, sem proteção (essa é a função dos muros).

Precisei aprender a dizer não a muita coisa enquanto Deus trabalhava comigo o entendimento bíblico do cuidado do corpo. Por vezes, o domínio sobre o desejo me obrigava a dizer não à *quantidade* de alimento e parar enquanto ainda desejava comer. Por vezes, tive de dizer não à *qualidade* do alimento. Em outras ocasiões ainda, precisei dizer não a *ambos.*

A verdade é que a Bíblia não fala muito de glutonaria, pelo menos não da perspectiva que imaginamos. Embora as versões mais antigas derivadas da tradução de João Ferreira de Almeida tenham feito uso da palavra "glutonarias" na lista paulina das obras da carne (Gl 5.23), a grande maioria das versões modernas evitou essa tradução. A palavra empregada nos manuscritos gregos é *komos*, que indicava, segundo Russel Champlin:

> um cortejo festivo, em honra ao deus pagão do vinho, Dionísio. Era uma refeição e um banquete festivos; mas com frequência seus participantes perdiam o domínio próprio e tudo se transformava em ocasião de glutonaria e bebedeiras, de orgia das piores. Assim essa palavra veio a indicar "glutonaria" e "orgia", sendo possível que a lista de vícios, preparada por Paulo, queria levar-nos a compreender ambos esses sentidos da palavra. As traduções modernas escolhem um ou outro desses significados.[2]

Como a palavra "bebedices" já havia sido mencionada na lista das obras da carne, presume-se que a ênfase não recaiu sobre a bebedice, e sim sobre a glutonaria e/ou orgias que acompanhavam essas festas.

A palavra "glutão" aparece duas vezes no Novo Testamento. Em ambas foram empregadas em um ataque ao Senhor Jesus:

> Veio o Filho do Homem, comendo e bebendo, e as pessoas dizem: "Eis aí um *glutão* e bebedor de vinho, amigo de publicanos e pecadores!"
>
> Mateus 11.19; ver também Lucas 7.34

No Antigo Testamento, a expressão aparece no livro de Provérbios:

> Quando você se assentar para comer com um governador,
> leve bem em conta quem está diante de você.
> Encoste uma faca na sua própria garganta,
> se você é *glutão*.
> Não cobice os pratos deliciosos que ele serve,
> porque essa comida é enganadora.
>
> Provérbios 23.1-3

Por que estou destacando a falta de ênfase bíblica na gula?

Porque desenvolvemos conceitos errados a respeito do assunto. A maioria de nós pensa na gula como um pecado alimentar relacionado à *quantidade* de comida. A verdade é que o oposto do domínio próprio, um

[2] R. N. Champlin, *O Novo Testamento interpretado versículo por versículo*, Vol. 4 (São Paulo: Hagnos, 2014), p. 650.

dos "gomos" do fruto do Espírito, é a falta de controle em qualquer área. Em relação aos alimentos é a falta de controle, a incapacidade de dominar o desejo. Independentemente dos excessos da quantidade, basta que haja falta de controle. Isso se aplica, por exemplo, a alimentos que deveríamos evitar e alegamos não conseguir fazê-lo.

Convém ressaltar essa questão, porque desviamos o foco da falta de controle do desejo para o do volume de alimentos ingeridos. Evidentemente, isso também é falta de domínio próprio, mas não se limita aos tropeços da quantidade. A vitória sobre as obras da carne depende do domínio próprio quanto ao desejo em si, e não apenas a *quanto* se deseja ou se consome algo.

O problema do primeiro casal, com o fruto proibido no Éden, não estava ligado à quantidade de frutos consumidos. O problema residiu na falta de domínio sobre o interesse despertado. O tropeço de Esaú também não enfatiza a quantidade de comida, mas sim a falta de controle (ou de paciência). Os israelitas que tiveram saudade das comidas do Egito e reclamaram do maná podem até ter comido mais do que o normal, mas no relato bíblico a ênfase de seu pecado está no desejo, e não apenas na quantidade de comida ingerida. Veja duas menções, no livro dos Salmos, acerca desse episódio:

> Também fez chover sobre eles carne como poeira
> e aves numerosas como a areia do mar.
> Fez com que caíssem no meio do arraial deles,
> ao redor de suas tendas.
> Então *comeram e se fartaram a valer;*
> pois lhes fez o que desejavam.
> Porém *não reprimiram o apetite.*
> Ainda tinham o alimento na boca,
> quando se elevou contra eles a ira de Deus,
> e entre os seus mais robustos semeou a morte,
> e prostrou os jovens de Israel.
>
> Salmos 78.27-31

> Entregaram-se *à cobiça,* no deserto;
> e, nos lugares áridos, puseram Deus à prova.
>
> Salmos 106.14

## Para a glória de Deus

Há uma instrução bíblica que tem sido de grande ajuda na reformatação de minha maneira de pensar e agir quanto ao cuidado do corpo e, em especial, quanto à alimentação:

> Portanto, se vocês comem, ou bebem ou fazem qualquer outra coisa, façam tudo *para a glória de Deus*.
>
> 1Coríntios 10.31

Como Deus pode ser glorificado por meio de nossa forma de comer e beber?

Nossa comida ou bebida jamais dará, diretamente, glória a Deus. São objetos inanimados, que não possuem esse poder. As Escrituras falam sobre como lidamos com a comida e o resultado que isso produz. Aliás, o contexto da afirmação paulina diz respeito ao impacto que nossas ações relacionadas à comida, à bebida ou a qualquer coisa exerce sobre as pessoas à nossa volta (ver 1Co 10.27-30), como, por exemplo, minha liberdade para comer aquilo que fere a consciência de um irmão. Na sequência, o apóstolo adverte:

> *Não se tornem motivo de tropeço* nem para judeus, nem para gentios, nem para a igreja de Deus, assim como também eu procuro, em tudo, ser agradável a todos, não buscando o meu próprio interesse, mas o de muitos, para que sejam salvos.
>
> 1Coríntios 10.32-33

Essa aplicação prática do significado de glorificar a Deus por meio do que comemos e bebemos não exclui, em contrapartida, outras percepções que a própria Bíblia nos oferece acerca do assunto. Uma delas é o ato de adorar e honrar ao Senhor, dando-lhe o louvor que lhe é devido. Mas não podemos deixar de reconhecer, ainda, que quando o propósito divino é devidamente executado ele é glorificado.

Observemos esta afirmação feita aos crentes romanos: "Portanto, acolham uns aos outros, como também Cristo acolheu vocês para a glória de Deus" (Rm 15.7). Jesus nos acolheu em sua família, *para a glória de Deus*! A ênfase, aqui, não tem a ver com pessoas cultuando, nem com o bom testemunho diante de outros, mas sim com o propósito divino da redenção se cumprindo.

Por isso, para glorificar a Deus com o que comemos e bebemos, devemos procurar entender o propósito da criação divina dos alimentos, nossa fonte de energia e nutrientes, e também do corpo, o receptor e processador desses alimentos, de modo a esforçar-nos para cumpri-lo.

Em sua primeira epístola aos coríntios, Paulo apresentou o estômago e os alimentos como uma criação "casada", isto é, um foi feito para o outro.

> Os *alimentos são para o estômago*, e *o estômago existe para os alimentos*. Mas Deus destruirá tanto o estômago quanto os alimentos.
>
> 1Coríntios 6.13

A palavra grega traduzida por "estômago" é *koilia*, que se refere à "barriga inteira, toda a cavidade; o abdome inferior, a região inferior, o receptáculo do excremento; o ventre, o lugar onde o feto é concebido e sustentado até o nascimento", e, em sentido metafórico, "a parte mais interna do homem, a alma, coração como o lugar do pensamento, sentimento, escolha".[3] Essa é a razão por que versões mais antigas, como a Almeida Revista Corrigida e a Tradução Brasileira, optam pelo uso da palavra "ventre".

> Os *manjares são para o ventre*, e *o ventre, para os manjares*; Deus, porém, aniquilará tanto um como os outros.
>
> 1Coríntios 6.13, ARC

O Dicionário Vine também indica que o uso da palavra *koilia* está relacionado, algumas vezes, ao "útero" (Mt 19.12; Lc 1.15; Jo 3.4; Gl 1.15) e, em sentido figurado, à "parte interior" do homem, isto é, o coração, a alma (Jo 7.38).[4] Mas não posso deixar de observar que, em outros casos, seu sentido aponta para *a barriga como um todo*, abrangendo os órgãos internos, como esôfago, estômago e intestino. Um exemplo disso é o ensino de Jesus acerca daquilo que contamina o homem, mostrando que o conceito da nova aliança acerca de impurezas não estaria relacionado à ingestão de alimentos:

> Convocando ele, de novo, a multidão, disse-lhes: Ouvi-me, todos, e entendei. Nada há fora do homem que, entrando nele, o possa contaminar; mas o que

[3] Bible Hub, verbete *koilia*, G2836, <https://biblehub.com/greek/2836.htm>.
[4] W. E. Vine, Merril F. Unger, William White Jr, *Dicionário Vine: O significado exegético e expositivo das palavras do Antigo e do Novo Testamento* (Rio de Janeiro: CPAD, 2002), p. 428, 1052.

> sai do homem é o que o contamina. [Se alguém tem ouvidos para ouvir, ouça.] Quando entrou em casa, deixando a multidão, os seus discípulos o interrogaram acerca da parábola. Então, lhes disse: Assim vós também não entendeis? Não compreendeis que tudo o que de fora entra no homem não o pode contaminar, porque não lhe entra no coração, mas *no ventre*, e *sai para lugar escuso*? E, assim, considerou ele puros todos *os alimentos*. E dizia: O que sai do homem, isso é o que o contamina. Porque *de dentro*, do coração dos homens, é que procedem os maus desígnios, a prostituição, os furtos, os homicídios, os adultérios, a avareza, as malícias, o dolo, a lascívia, a inveja, a blasfêmia, a soberba, a loucura. Ora, todos estes males vêm de dentro e contaminam o homem.
>
> Marcos 7.14-23, ARA

Evidentemente, o uso da expressão "ventre" (*koilia*) feita por Cristo não apontava para o útero, tampouco para o ser interior. Refere-se, indubitavelmente, ao lugar por onde alimentos entravam e saíam. Aliás, a expressão traduzida por "lugar escuso", no original grego, é *aphedrón*, que remete ao "lugar onde as evacuações de resíduo humano são descarregadas; privada, fossa, banheiro".[5] A Bíblia de Jerusalém traduziu essa expressão como "sai para a fossa".

Qual a importância de reconhecer que o uso da palavra *koilia* não se limita a "estômago"? A Bíblia trata de forma genérica e abrangente o lugar por onde os alimentos entram, são processados e, depois de seu devido uso, eliminados. Isso aponta para todo o sistema gastrointestinal. Dessa forma, somos direcionados à relação entre os alimentos e ao sistema digestório como um todo — ambos criados por Deus com uma relação específica entre si. Portanto, Jesus e Paulo não mencionaram, como pode ser equivocadamente interpretado, apenas o estômago, mas todo o conjunto de órgãos relacionados ao processo digestivo.

Em outras palavras, precisamos entender a alimentação conforme planejada por Deus, isto é, como nosso corpo digere e processa os alimentos de acordo com o plano do Criador. Atualmente, dispomos de conhecimento científico e biológico como nunca — o que penso ser parte do cumprimento da afirmação feita a Daniel, acerca do tempo do fim, de que "o saber se multiplicará" (Dn 12.4). Isso nos permite entender ainda mais o corpo e seu funcionamento correto, revelando com mais riqueza de detalhes os

[5] Bible Hub, verbete *koilia*, G2836, <https://biblehub.com/greek/856.htm>.

propósitos divinos acerca do funcionamento do corpo e, consequentemente, da manutenção da saúde.

Por isso, creio que também precisamos compreender melhor a forma de trabalhar do sistema digestório e, em especial, do intestino. Afinal, sem a compreensão de qual é o correto funcionamento daquilo que o Criador planejou, como poderemos cumprir o propósito da criação e, assim, dar-lhe glória?

O dr. Helion Póvoa, médico especialista em nutrição e bioquímica, afirma em seu livro *O cérebro desconhecido*:

> A verdade é que ninguém se interessa pelo que acontece com os alimentos que ingere depois que se levanta da mesa. Mas esse é um equívoco muito grande na nossa cultura, pois apenas o fato de entender o processamento deles no organismo já seria útil para que tivéssemos um controle maior para a saúde. Além disso, é fantástico perceber como são perfeitos os mecanismos que garantem a digestão e a absorção de tudo o que comemos.[6]

O processo digestivo começa na boca, com a trituração dos alimentos, quando os mastigamos, e a ação da saliva que não apenas ajuda a dissolver a comida como também atua no equilíbrio das bactérias. Aliás, o entendimento da flora intestinal, também denominada de microbiota intestinal — que é, basicamente, o conjunto de bactérias que habitam naturalmente o intestino —, é fundamental para a compreensão dos processos necessários para a nutrição do organismo e o fortalecimento da imunidade.

Esse processo, por sua vez, engloba desde a separação dos distintos tipos de grupos alimentares ingeridos até a eliminação, quando em seu estado saudável, de toxinas, bactérias e outros elementos nocivos ao corpo. Os nutrientes necessários são absorvidos, e o que é prejudicial ao organismo é separado e descartado.

## O "segundo" cérebro

Qual a importância desse sistema que recebe e processa os alimentos ingeridos? Penso ser importante essa compreensão, e quero enfatizar as funções

[6] Helion Póvoa, *O cérebro desconhecido: Como o sistema digestivo afeta nossas emoções, regula nossa imunidade e funciona como um órgão inteligente* (Rio de Janeiro: Objetiva, 2002), p. 14.

do intestino, onde o que se iniciou no estômago terá, mais do que continuidade do processo, um desenvolvimento maior do que às vezes imaginamos. Se não entendermos o propósito e funcionamento dessa "máquina" fantástica chamada intestino, provavelmente também não conseguiremos mensurar a importância de uma alimentação correta.

Antigamente não havia tanto entendimento científico acerca do assunto como temos hoje, embora o foco da medicina antiga, antes da era farmacêutica, sempre foi a alimentação correta. E quando digo "antigamente" não me refiro apenas aos dias em que a Bíblia foi escrita; falo de um tempo que se estendeu até algumas décadas atrás.

Giulia Enders, autora do sucesso de vendas *O discreto charme do intestino*, expõe que a falta de entendimento sobre o intestino também se dá até mesmo no meio da classe médica:

> Durante a faculdade, percebi como essa área é negligenciada na medicina. No entanto, o intestino é um órgão excepcional. Ele forma dois terços do sistema imunológico, tira energia de sanduíches e salsichas de tofu e produz mais de vinte hormônios próprios. Durante sua formação, grande parte dos médicos aprende muito pouco sobre ele.[7]

Helion Póvoa esclarece a importância do entendimento do sistema gastrointestinal para o cultivo da boa saúde:

> O intestino repousou durante muitos anos no esquecimento. Esquecido pelas pessoas, que dele só se lembravam quando comiam algo que não lhes fazia bem, e pela ciência, que sempre considerou os trâmites intestinais como um departamento secundário dentro da medicina. Até bem pouco tempo, era suficiente para os cientistas conhecer sobre este órgão apenas sua função básica de absorção, em que os nutrientes dos alimentos são enviados para o organismo, depois de devidamente digeridos.
>
> Hoje a situação é bem diferente. Depois de reconhecido como um "órgão inteligente" pela sua capacidade de selecionar entre o que comemos o que nos é ou não útil, o intestino foi recentemente proclamado o "segundo cérebro" por ser o único órgão do corpo humano capaz de executar funções independentemente do sistema nervoso central. Agora, está cada vez mais evidente que

[7] Giulia Enders, *O discreto charme do intestino: Tudo sobre um órgão maravilhoso* (São Paulo: WMF Martins Fontes, 2015), p. 13.

o sistema gastrointestinal está no âmago dos processos que garantem a vida saudável. [...]

Hoje, os mecanismos e trocas químicas que garantem o seu funcionamento são fundamentais nas pesquisas das mais diversas doenças.

Está claro para muitos cientistas que a simples felicidade depende fundamentalmente do que se passa no sistema gastrointestinal, por conta das condições que cada organismo tem de secretar a serotonina, o neurotransmissor responsável pela alegria e bem-estar. Afinal, ele não é encontrado apenas no cérebro, como se imaginava, mas também no intestino. [...]

É por esta razão, inclusive, que a absorção dos alimentos vem sendo considerada um novo paradigma para a saúde. Essa fantástica função, quando exercida de forma insatisfatória, pode desencadear uma série de distúrbios que lentamente vão provocar reações em cascata pelo organismo.[8]

O intestino e seu funcionamento são fascinantes e destacam sua importância. No entanto, quando ignoramos sua forma de funcionar, deixamos de entender quais escolhas deveríamos fazer quanto ao que comer.

Comer e beber para a glória de Deus envolve não apenas a moderação da quantidade de alimentos, mas a seletividade que deveríamos, com bom senso, praticar. Também envolve a compreensão de *quando* comer. Esse combo de entendimentos específicos nos ajudará a determinar nosso padrão de alimentação, assunto do próximo capítulo.

[8] Póvoa, *O cérebro desconhecido*, p. 9-11.

# 7

# RESTRIÇÕES ALIMENTARES

Porque do Senhor é a terra e a sua plenitude.

1CORÍNTIOS 10.26

Apesar de ter criado inicialmente, lá no jardim do Éden, todo tipo de alimento para o ser humano, o Senhor também desde o princípio *estabeleceu restrições*. Foi o caso da árvore do conhecimento do bem e do mal:

> E o SENHOR Deus ordenou ao homem:
> — De toda árvore do jardim você pode comer livremente, mas da árvore do conhecimento do bem e do mal *você não deve comer*; porque, no dia em que dela comer, você certamente morrerá.
>
> Gênesis 2.16-17

Vale observar que, a princípio, não houve nenhuma instrução divina para que o homem comesse outra coisa a não ser *vegetais*. O consumo da carne de animais seria introduzido posteriormente, após o dilúvio. Mas também seria introduzido combinado a restrições alimentares: não se comeria o sangue dos animais dos quais os homens passariam a se alimentar.

> Tudo o que se move e vive servirá de alimento para vocês. Assim como lhes dei a erva verde, agora lhes dou todas as coisas. Carne, porém, com sua vida, isto é, *com seu sangue*, vocês não devem comer.
>
> Gênesis 9.3-4

Ou seja, desde sua criação, o ser humano foi orientado a ter a consciência de que *não se deve comer de tudo*. No Éden, ele podia comer ervas e frutos, mas havia restrição a uma árvore específica e seu fruto. Depois do dilúvio, foi introduzido o consumo de carne, mas a restrição ao sangue também foi claramente definida. Séculos adiante, Deus estabeleceria, através da lei concedida a Moisés, uma série de restrições alimentares (Lv 11.1-45) e concluiria essa enorme lista com a seguinte advertência:

> Esta é a lei a respeito dos animais, das aves, de todo ser vivo que se move nas águas e de toda criatura que rasteja sobre o chão, para fazer diferença entre o *impuro* e o *puro* e entre os animais que *podem* ser comidos e os animais que *não podem* ser comidos.
>
> Levítico 11.46-47

Foi por causa dessas determinações divinas que Daniel, na corte do rei da Babilônia, "resolveu não se contaminar com as finas iguarias do rei, nem com o vinho que ele bebia; por isso, pediu ao chefe dos eunucos que lhe permitisse não se contaminar" (Dn 1.8). Mais do que uma questão dietética, tratava-se de padrões que regiam também a vida espiritual.

A revelação neotestamentária esclarece que não estamos mais debaixo dessas ordenanças. Paulo atestou que "o fim da lei é Cristo" (Rm 10.4) e que "Cristo aboliu a lei dos mandamentos na forma de ordenanças" (Ef 2.15). O escritor de Hebreus explica que "quando se muda o sacerdócio, necessariamente muda também a lei" (Hb 7.12). Com a alternância do sacerdócio levítico, da antiga aliança, para o sacerdócio de Jesus Cristo, a nova aliança, houve mudança de lei.

Mudança de lei é diferente de cessação de lei. Ainda há lei, embora não seja a mesma que regia a vida dos santos do Antigo Testamento. Jesus afirmou que nos deu um novo mandamento (Jo 13.34), e Paulo sustentou e explicou claramente essa verdade: "não estando sem lei para com Deus, mas debaixo da lei de Cristo" (1Co 9.21).

E o questionamento a ser feito é: na nova lei, a de Cristo, há restrições alimentares? E a resposta é *sim, elas ainda existem*. Antes, porém, de delinear as atuais restrições, é necessário destacar a mudança das restrições antes impostas. Jesus ensinou que as impurezas, na nova aliança, não estão associadas aos alimentos que ingerimos, e sim aos diferentes tipos de comportamento, contrários à lei divina, que podemos acalentar no coração:

Jesus lhes disse:

— Então vocês também não entendem? Não compreendem que tudo o que está fora da pessoa, entrando nela, *não a pode contaminar*, porque *não entra no coração dela, mas no estômago, e depois é eliminado*?

E, assim, *Jesus considerou puros todos os alimentos*. E dizia:

— O que sai da pessoa, isso é o que a contamina. Porque de dentro, do coração das pessoas, é que procedem os maus pensamentos, as imoralidades sexuais, os furtos, os homicídios, os adultérios, a avareza, as maldades, o engano, a libertinagem, a inveja, a blasfêmia, o orgulho, a falta de juízo. Todos estes males vêm de dentro e contaminam a pessoa.

Marcos 7.18-23

Essa afirmação é incontestável e dispensa qualquer malabarismo de interpretações mirabolantes: "Jesus considerou puros *todos os alimentos*". Ainda assim, até que houvesse clareza de entendimento sobre a mudança de lei — assunto largamente abordado e explicado por Paulo —, esse novo entendimento foi difícil de digerir. Até mesmo o apóstolo Pedro, inicialmente, teve dificuldade para assimilar o fato:

Viu o céu aberto e um objeto como se fosse um grande lençol, que descia do céu e era baixado à terra pelas quatro pontas, contendo todo tipo de quadrúpedes, répteis da terra e aves do céu. E ouviu-se uma voz que se dirigia a ele:

— Levante-se, Pedro! Mate e coma.

Mas Pedro respondeu:

— De modo nenhum, Senhor! Porque nunca comi nada que fosse impuro ou imundo.

Pela segunda vez, a voz lhe falou:

— Não considere impuro aquilo que Deus purificou.

Atos 10.11-15

Essa passagem, isolada, não determina que Deus tenha tornado puro os alimentos anteriormente declarados impuros. Mas, combinada à clareza dos demais textos que sustentam isso, ela se torna um excelente adicional dessa compreensão. Afinal de contas, embora em sua essência a visão visasse levar Pedro a não considerar os gentios (a quem ele estava na iminência de ser conduzido pelo próprio Senhor para lhes pregar o evangelho) *impuros* — e, anteriormente, pela lei mosaica, assim eles eram considerados —, é evidente que Deus, que não se contradiz, não mandaria o apóstolo fazer algo pecaminoso nem mesmo em uma visão. Assim como a mudança de lei removeu a impureza do contato com os gentios, também *removeu* a impureza dos alimentos.

Cristo, o novo sacerdote e legislador, considerou *todos* os alimentos puros — que é exatamente o oposto de impuros! Por que Pedro considerava alguns daqueles alimentos impuros? Porque conhecia bem a lei mosaica e havia pautado toda a sua vida por ela, fosse na questão dos alimentos ou na do convívio com os gentios. Porém, não foi dito ao apóstolo que ele estava errado em observar, por toda a sua vida, as restrições alimentares da lei. Apenas lhe foi comunicado uma mudança: Deus purificou o que antes não considerou puro. Outras afirmações corroboram isso:

> Eu sei e estou persuadido, no Senhor Jesus, de que *nada é impuro em si mesmo*, a não ser para aquele que pensa que alguma coisa é impura; para esse é impura.
>
> Romanos 14.14

Ao observar o contexto dessa declaração, percebemos que Paulo falava acerca de comida, bem como de crenças equivocadas sobre restrições alimentares. O apóstolo havia declarado: "Um crê que pode comer de tudo, mas quem é fraco na fé come legumes" (Rm 14.2). Embora seu ensino ajudasse os mais maduros a não julgar nem discutir opiniões com os fracos na fé, é evidente que Paulo tomou partido quando, em contraponto com a afirmação dos que creem poder comer de tudo — algo que ele sequer insinuou estar errado —, ele ainda adjetiva os que acreditavam não ser permitido (pela Palavra de Deus) comer de tudo como "fracos na fé".

A instrução dada aos crentes de Corinto também é clara e dispensa comentários ou interpretações:

> *Comam de tudo* o que se vende no mercado, sem questionamento algum por motivo de consciência. Porque *do Senhor é a terra* e a sua plenitude.
>
> 1Coríntios 10.25-26

Paulo também abordou o assunto na carta a Timóteo, seu discípulo, com a seguinte instrução:

> Ora, o Espírito afirma expressamente que, nos últimos tempos, alguns apostatarão da fé, por obedecerem a espíritos enganadores e a ensinos de demônios, pela hipocrisia dos que *falam mentiras* e que têm a consciência cauterizada, que

proíbem o casamento e *exigem abstinência de alimentos que Deus criou para serem recebidos com gratidão pelos que creem e conhecem a verdade*. Pois *tudo o que Deus criou é bom*, e, se recebido com gratidão, *nada é recusável*, porque é santificado pela palavra de Deus e pela oração.

1Timóteo 4.1-5

Observe que a apostasia começa com a obediência a espíritos enganadores e doutrinas de demônios. Como isso alcança alguns cristãos? Não se trata de aparições demoníacas, mas de um ensino corrompido propagado e difundido por meio de pessoas que se encontram dentro das igrejas. É por isso que a sã doutrina é tão importante e necessária.

Aqueles que "exigem abstinência de alimentos que Deus criou para serem recebidos com gratidão pelos que creem e conhecem a verdade" estão falando uma mentira. Os que conhecem a verdade, por sua vez, sabem que as restrições alimentares da antiga aliança prescreveram. A Escritura é clara: "tudo o que Deus criou é bom, e, se recebido com gratidão, nada é recusável". Tudo é bom, nada é recusável. Simples assim.

Não se deixem levar por *doutrinas diferentes e estranhas*, porque o que vale é ter o coração confirmado com graça e *não com alimentos*, que nunca trouxeram proveito aos que se preocupam com isso.

Hebreus 13.9

As restrições alimentares da lei foram descontinuadas, indubitavelmente. As instruções da nova aliança são claras a esse respeito:

Pois não passam de ordenanças da carne, baseadas somente em comidas, bebidas e diversas cerimônias de purificação, *impostas até o tempo oportuno de reforma*.

Hebreus 9.10

Há uma clara restrição alimentar, no entanto, anterior à lei de Moisés e que permanece mesmo no Novo Testamento. É a ingestão do sangue.

## Ingestão de sangue

Alguns judeus foram a Antioquia, a primeira igreja organizada entre os gentios, e começaram a criar um tumulto doutrinário afirmando que os gentios não seriam salvos caso não se circundassem. A Bíblia relata que, "tendo surgido um conflito e grande discussão de Paulo e Barnabé com eles, foi resolvido que esses dois e mais alguns fossem a Jerusalém, aos apóstolos e presbíteros, para tratar desta questão" (At 15.2). Quando lá chegaram, encontraram "alguns membros do partido dos fariseus que haviam crido", e estes "se insurgiram, dizendo: 'É necessário circuncidá-los e ordenar-lhes que observem a lei de Moisés'" (At 15.5). Então os apóstolos e os presbíteros se reuniram para examinar a questão, o que gerou "grande debate" (At 15.7). Depois de Pedro, Barnabé e Paulo falarem, Tiago se levantou e trouxe uma palavra esclarecedora. E a conclusão da reunião, que posteriormente seria conhecida como "O Concílio de Jerusalém", foi enviada por meio de uma carta:

> "Os irmãos, tanto os apóstolos como os presbíteros, aos irmãos gentios em Antioquia, Síria e Cilícia, saudações.
>
> Visto sabermos que alguns que saíram de nosso meio, sem nenhuma autorização, perturbaram vocês com palavras, transtornando a mente de vocês, pareceu-nos bem, chegados a pleno acordo, eleger alguns homens e enviá-los a vocês com os nossos amados Barnabé e Paulo, homens que têm arriscado a vida pelo nome de nosso Senhor Jesus Cristo. Portanto, estamos enviando Judas e Silas, os quais pessoalmente lhes dirão as mesmas coisas. Pois pareceu bem ao Espírito Santo e a nós não impor a vocês maior encargo além destas coisas essenciais: que vocês *se abstenham* das coisas sacrificadas a ídolos, bem como do *sangue*, da *carne de animais sufocados* e da imoralidade sexual; se evitarem essas coisas, farão bem.
>
> Passem bem."
>
> Atos 15.23-29

Das quatro orientações oferecidas aos gentios convertidos, tratadas como questões essenciais, que envolvem não praticar imoralidade nem idolatria, duas dizem respeito a abster-se do sangue. Uma das orientações para abster-se da ingestão do sangue é explícita; já a que diz respeito à carne de animais sufocados é um desdobramento da outra. Trata-se do mesmo mandamento:

> Qualquer homem da casa de Israel ou dos estrangeiros que peregrinam entre vocês que *comer sangue*, contra ele me voltarei e o eliminarei do seu povo. Porque a vida da carne está no sangue. Eu o tenho dado a vocês sobre o altar, para

> fazer expiação pela vida de vocês, porque é o sangue que fará expiação pela vida. Portanto, tenho dito aos filhos de Israel: *nenhum de vocês comerá sangue*, nem o estrangeiro que peregrina entre vocês o comerá.
>
> Qualquer homem dos filhos de Israel ou dos estrangeiros que peregrinam entre vocês que caçar animal ou ave que se pode comer *derramará o sangue* e o cobrirá com pó. Porque a vida de toda carne é o seu sangue. Por isso, tenho dito aos filhos de Israel que não comam o sangue de nenhuma carne, porque a vida de toda carne é o seu sangue; todo o que comer será eliminado.
>
> Levítico 17.10-14

O que era a carne sufocada? Era aquela em que o sangue do animal não foi derramado, e a comida foi preparada juntamente com o sangue. Era, por assim dizer, um consumo indireto. No Brasil temos alguns pratos que são preparados com sangue, como o choriço e o sarapatel. E um exemplo de carne sufocada é a chamada galinha ao molho pardo, em que, via de regra, a ave é morta tendo seu pescoço quebrado e sua carne é cozida sem que se derrame o sangue.

O consumo direto e indireto do sangue (e aqui temos de distinguir entre o soro de um bife rosado e o sangue priopriamente dito) segue, mesmo na nova aliança, sendo proibido, e essas verdades precisam ser ensinadas em nossas igrejas.

Estou abordando esses tópicos porque, além de serem parte do ensino bíblico acerca dos alimentos, precisamos entender que *sempre* houve (antes, durante e depois da lei de Moisés) *restrições alimentares*. Vejo isso como uma mensagem divina que aponta para a necessidade de critérios em nossas escolhas e condutas quanto à comida.

Atualmente, a única proibição que, se ignorada, é tratada como *pecado*, é o consumo de sangue e da carne sufocada. Porém, aquilo que tratamos no capítulo 4, acerca da *boa mordomia* do corpo, deve nos remeter a uma mentalidade de escolhas saudáveis.

## O que devemos comer?

A questão, portanto, não deveria girar em torno do que podemos, mas sim do que *devemos* comer. Uma vez que a única proibição alimentar bíblica, para os crentes da nova aliança, diz respeito à ingestão do sangue e da carne sufocada, sabemos que *podemos* — no sentido permissivo — comer de todos os demais alimentos. Não significa, entretanto, que *deveríamos* comer de tudo.

De vez em quando alguém me questiona: "Você está dizendo que o consumo de uma alimentação errada vai me impedir de ir para o céu?". Gosto de responder com uma frase que ouvi de alguém: "De jeito nenhum. Mas talvez esse tipo de alimentação leve você mais cedo para lá".

Alguns acreditam que o que precisam para abandonar o consumo de todo tipo de junk food, trocando-o por escolhas mais saudáveis, é que coloquemos um rótulo de "pecaminoso" nesses alimentos. De acordo com a sã doutrina, não posso fazer isso. Esse rótulo cabe apenas ao sangue e à carne sufocada. No entanto, não podemos ignorar o que Paulo ensinou acerca da abstinência praticada em nome do amor aos de consciência mais fraca (Rm 14.15-21). Ou seja, às vezes alguns pecam não pelo *que* fazem, mas *como* o fazem.

Ainda assim, o que às vezes sinto vontade de fazer, munido de dados e mais dados de pesquisas científicas, é colocar um rótulo que denuncie a *estupidez* das escolhas de muitos. Nosso alto consumo de comidas industrializadas, processadas, associado a um estilo de vida altamente destrutivo ao corpo, certamente cobrará a conta. Ouvi o dr. Aldrin Marshall afirmar, certa ocasião, que "quanto maior é o prazo de validade de um alimento, menor é o prazo de vida de quem o consome". Você tem noção de quanto dano e intoxicação o consumo de corantes, conservantes e outros inúmeros produtos químicos adicionados a nossos alimentos produz em nosso corpo?

Falando dos alimentos, o apóstolo Paulo asseverou que "tudo o que Deus criou é bom" (1Tm 4.4). Portanto, o foco alimentar bíblico é aquilo que Deus criou. Isso envolve, basicamente, como já apontado, o consumo de alimentos vegetais e animais.

Cabe observar, no entanto, que os alimentos, em sua forma original, sejam os vegetais ou animais, não carregavam a carga tóxica de hoje em dia. Insumos agrícolas, que basicamente estão repletos de veneno e dos mais variados produtos químicos, fazem que o alimento atual, mesmo o que é considerado natural, esteja bem distante do padrão saudável da antiguidade. Acrescente-se a isso a era dos transgênicos — alimentos geneticamente modificados — e a coisa só piora. (Por isso, aliás, o trigo de hoje, diferentemente da antiguidade, traz consigo uma carga de glúten que tem acarretado muitos problemas à saúde.) Medicamentos, hormônios e outros produtos nocivos nas rações alteraram, significativamente, a qualidade dos diversos tipos de carne que consumimos hoje em dia. Isso tem remetido os que se preocupam com a saúde — que é profundamente afetada pelo que se come — a investir cada vez mais em alimentos orgânicos.

## Usando o bom senso

Se a escolha dos alimentos criados por Deus já é, atualmente, um desafio para preservar a saúde, o que dizer do alto consumo de alimentos artificiais? Nossa cultura moderna de alimentos industrializados, processados, sobrecarregados de trigo e açúcar, repletos de conservantes, saborizantes, aromatizantes, corantes e tantos outros produtos químicos, está nos levando pela contramão do bom funcionamento do corpo. Devemos, portanto, *apelar ao bom senso* — mesmo não dispondo hoje de uma lista bíblica de alimentos proibidos.

Por que razão nós, os evangélicos, de forma geral, somos tão contrários ao fumo? Não há nenhum versículo da Bíblia contendo a proibição "não fumarás". Não significa, entretanto, que não tenhamos um entendimento bíblico sobre o assunto. O que precisamos, nesse caso, é observar as declarações bíblicas relacionadas ao tema. Consideremos, então, alguns desses princípios:

1. *O fato de ser prejudicial à saúde.* A Biblioteca Virtual em Saúde, do Ministério da Saúde, alerta que o tabagismo "obriga os fumantes a inalarem mais de 4.720 substâncias tóxicas, como: monóxido de carbono, amônia, cetonas, formaldeído, acetaldeído, acroleína, além de 43 substâncias cancerígenas, sendo as principais: arsênio, níquel, benzopireno, cádmio, chumbo, resíduos de agrotóxicos e substâncias radioativas". Além disso, há "mais de 50 doenças relacionadas ao consumo de cigarro. Estatísticas revelam que os fumantes, comparados aos não fumantes, apresentam um risco 10 vezes maior de adoecer de câncer de pulmão, 5 vezes maior de sofrer infarto, 5 vezes maior de sofrer de bronquite crônica e enfisema pulmonar e 2 vezes maior

de sofrer derrame cerebral".[1] Logo, o fumo acarreta dano ao corpo, o templo do Espírito Santo. E Paulo indagou aos coríntios: "Será que vocês não sabem que *o corpo de vocês é santuário do Espírito Santo*, que está em vocês e que vocês receberam de Deus, e que vocês não pertencem a vocês mesmos?" (1Co 6.19). E também pontuou: "Vocês não sabem que são santuário de Deus e que o Espírito de Deus habita em vocês? *Se alguém destruir o santuário de Deus, Deus o destruirá*. Porque o santuário de Deus, que são vocês, é sagrado" (1Co 3.16-17). Se nosso corpo é o santuário do Espírito de Deus e não pode ser destruído, por que decidiríamos acreditar que está tudo bem fumar? E que isso não seria uma deliberada quebra de princípios divinos?

2. *A questão da dependência*. O mesmo artigo do Ministério da Saúde aponta que "o hábito de fumar é reconhecido como uma doença epidêmica que causa dependência física, psicológica e comportamental semelhante ao que ocorre com o uso de outras drogas como álcool, cocaína e heroína. A dependência ocorre pela presença da nicotina nos produtos à base de tabaco". O que as Escrituras dizem sobre isso? "'Todas as coisas me são lícitas', mas nem todas convêm. 'Todas as coisas me são lícitas', mas eu *não me deixarei dominar* por nenhuma delas" (1Co 6.12). Logo, nada que se constitui vício, ou seja, que nos domina, deve ser aceitável, ainda que se alegue ser algo lícito, não proibido.
3. *O dano a terceiros*. Evitamos algumas coisas não somente por serem danosas a nós mesmos, mas também por serem danosas a outros — até mesmo quando não o são para nós. Assim escreve o apóstolo Paulo: "Se o seu irmão fica triste por causa do que você come, você já não anda segundo o amor. Não faça perecer, por causa daquilo que você come, aquele por quem Cristo morreu. Não seja, pois, difamado aquilo que vocês consideram bom" (Rm 14.15-16). E também sustenta, como complemento lógico do raciocínio empregado nos versículos citados, o seguinte: "Assim, pois, sigamos as coisas que contribuem para a paz e também as que são para a edificação mútua. Não destrua a obra de Deus por causa da comida. Todas as coisas, na verdade, são

[1] Biblioteca Virtual em Saúde, "Tabagismo", Ministério da Saúde, <https://bvsms.saude.gov.br/tabagismo-13/>.

puras, mas não é bom quando alguém come algo que causa escândalo. É bom não comer carne, nem beber vinho, nem fazer qualquer outra coisa que leve um irmão a tropeçar" (Rm 14.19-21). Paulo abordou o mesmo assunto com a igreja em Corinto, enfatizando os alimentados consagrados a ídolos: "Quanto a comer alimentos sacrificados a ídolos, sabemos que o ídolo, por si mesmo, nada é no mundo e que não há senão um só Deus. [...] Entretanto, nem todos têm esse conhecimento. Alguns, acostumados até agora com o ídolo, ainda comem desses alimentos como se fossem sacrificados a ídolos; e a consciência destes, por ser fraca, vem a contaminar-se. Não é a comida que nos torna agradáveis a Deus, pois nada perderemos, se não comermos, e nada ganharemos, se comermos" (1Co 8.4,7-8). O apóstolo pontuou que a comida sacrificada a ídolos não é, em si mesma, condenável. Mas lembrou que, em alguns casos, como para os fracos na fé, ela pode ser vista como tal. E, então, focado na lei do amor, que evita promover o dano a terceiros mesmo que não estejamos trazendo dano a nós mesmos, adverte: "Mas tenham cuidado para que essa liberdade de vocês não venha, de algum modo, a ser tropeço para os fracos. Porque, se alguém enxergar você, que tem conhecimento, sentado à mesa no templo de um ídolo, será que a consciência do que é fraco não vai ser induzida a participar de comidas sacrificadas a ídolos? E, assim, por causa do conhecimento que você tem, perde-se o irmão fraco, pelo qual Cristo morreu. E, deste modo, pecando contra os irmãos, ferindo a consciência fraca que eles têm, é contra Cristo que vocês estão pecando. E, por isso, se a comida serve de escândalo ao meu irmão, nunca mais comerei carne, para que não venha a escandalizá-lo" (1Co 8.9-13). O fumo oferece dano a terceiros? Sim, de duas formas; além do mal testemunho prejudicial a quem toma ciência de um cristão preso ao vício do cigarro, ainda temos o chamado "fumo passivo". O já citado artigo sobre tabagismo, do Ministério da Saúde assevera: "Ao respirar a fumaça do cigarro, os não fumantes correm o risco de ter as mesmas doenças que o fumante. As crianças, especialmente as mais novas, são as mais prejudicadas, já que respiram mais rapidamente. Em crianças que vivem com fumantes em casa (cerca de metade das crianças do mundo), há um aumento de incidência de pneumonia, bronquite, agravamento de asma, além de uma maior probabilidade de desenvolvimento de doença cardiovascular na idade adulta".

O bom senso e, sobretudo, a coerência bíblica nos levam, portanto, a não apenas evitar como também combater essa prática nociva à saúde.

Igualmente, devemos usar o bom senso e a coerência na seletividade de nossos alimentos, na determinação de quantidades ingeridas e no respeito às pausas necessárias que dão descanso não somente ao estômago e intestino, mas também à produção hormonal.

Portanto, mesmo sem uma relação bíblica de restrições alimentares, podemos criar nossa própria lista de restrições autoimpostas. Ela deve focar o *quando*, o *quanto* e o *que* comemos.

## Quando comer?

Quando devemos comer? Obviamente, salvo exceções como a prática do jejum, a alimentação (assim como o sono) é um evento diário. Tiago escreveu: "Se um irmão ou uma irmã estiverem com falta de roupa e necessitando do *alimento diário*..." (Tg 2.15). Quantas refeições diárias, porém, seria correto fazer? Que intervalos devem ser respeitados entre os períodos de alimentação?

O fato é que a Palavra de Deus não estabelece os horários de alimentação, embora nos deixe o registro de como as pessoas, cujas histórias estão registradas no Livro Sagrado, comiam. E, nesses registros, encontramos três refeições principais: o desjejum, o almoço e a ceia (ou jantar). Encontramos, aliás, exemplos de Jesus fazendo cada uma dessas três refeições.

*Desjejum.* A Bíblia registra pessoas comendo logo ao amanhecer. Um desses exemplos envolve Cristo e os discípulos.

> *Ao romper o dia,* Jesus estava na praia, mas os discípulos não reconheceram que era ele. Jesus lhes perguntou:
>
> — Filhos, será que vocês têm aí *alguma coisa para comer*?
>
> Eles responderam:
>
> — Não.
>
> João 21.4-5

Outro exemplo é o de um levita que morava na região montanhosa de Efraim e foi visitar seu sogro em Belém de Judá:

> No quarto dia, *madrugaram* e se levantaram para partir. Mas o pai da moça disse a seu genro:
>
> — *Coma alguma coisa*, para você ter mais força para a viagem. Depois disso vocês podem ir embora.
>
> Juízes 19.5

*Almoço*. Além do café da manhã, também temos registros de gente almoçando, ou seja, comendo ao meio-dia:

> Quando José viu que Benjamim estava com eles, disse ao administrador de sua casa:
>
> — Leve estes homens para casa, mate um animal e prepare tudo, pois estes homens *comerão comigo ao meio-dia*.
>
> Gênesis 43.16

Outro exemplo envolve, novamente, o Senhor Jesus:

> Ali ficava o poço de Jacó. Cansado da viagem, Jesus sentou-se junto ao poço. *Era por volta do meio-dia*.
>
> Nisso veio uma mulher samaritana tirar água. Jesus lhe disse:
>
> — Dê-me um pouco de água.
>
> Pois os seus discípulos tinham ido à cidade *comprar alimentos*. [...]
>
> Enquanto isso, os discípulos pediam a Jesus, dizendo:
>
> — *Mestre, coma*!
>
> João 4.6-8,31

*Ceia*. Quando Jesus, depois de ressuscitado, aparece a dois discípulos no caminho de Emaús, eles, ao hospedá-lo ao fim do dia, lhe ofereceram comida:

> Quando se aproximavam da aldeia para onde iam, ele fez menção de passar adiante. Mas eles o convenceram a ficar, dizendo:
>
> — Fique conosco, porque é tarde, e *o dia já está chegando ao fim*.
>
> E entrou para ficar com eles. E aconteceu que, *quando estavam à mesa*, ele pegou o pão e o abençoou; depois, *partiu o pão* e o deu a eles.
>
> Lucas 24.28-30

Um detalhe importante é que a refeição não se deu tarde da noite, e sim ao fim do dia, e parece ter sido o que classificaríamos de um lanche mais leve. Outro exemplo envolve Isaque e diz respeito a um banquete, ou seja, a refeição não teria, necessariamente, sido leve.

> Então Isaque lhes deu *um banquete*, e comeram e beberam. *Levantando-se de madrugada*, juraram de parte a parte. Isaque os despediu, e eles se foram em paz.
>
> Gênesis 26.30-31

Honestamente, o texto não pontua, com toda a clareza, o horário da refeição. Fala do banquete e, depois, dos hóspedes se levantando de madrugada para ir embora. Portanto, presumimos que comeram à noite. Até pela natureza da refeição festiva; fazendo-a depois do pôr do sol evitava-se o calor do dia e preservava-se o horário de trabalho.

Não significa, contudo, que tenhamos de comer as três principais refeições e que elas devam ser feitas no mesmos horários. Mas a verdade é que elas são predominantes no mundo todo e estão presentes em toda a história da humanidade, desde a antiguidade até os dias de hoje.

Um conselho a ser dado acerca do jantar (ou ceia) é que deve ser uma refeição leve e consumida um bom tempo antes da hora de dormir. Joseph Mercola, em sua obra *Combustível para a saúde*, comenta sobre a última refeição diária:

> Muitos também consomem a maior parte de suas calorias diárias tarde da noite, que é exatamente quando seu corpo precisa da *menor* quantidade de energia como calorias da alimentação. Por isso, eu recomendo que você evite comer por pelo menos 3 horas antes de dormir — e isso inclui *todo mundo*, não importa que tipo de dieta você siga ou não. Esse acesso contínuo à comida impede seu corpo de passar pelos processos de reparo e rejuvenescimento que ocorrem durante o jejum.[2]

Até recentemente, muitos profissionais da área da nutrição advogavam a importância de se comer de três em três horas. Há grande controvérsia sobre essa questão. Essa recomendação se apoiava em diversos motivos, entre eles o *equilíbrio metabólico* — a ideia era manter o metabolismo sem

[2] Joseph Mercola, *Combustível para a saúde: A revolucionária dieta para prevenir doenças e auxiliar no combate ao câncer, no aumento da capacidade cerebral e energia vital e na manutenção do peso* (São Paulo: nVersos, 2017), p. 215.

muitas variações — e o *controle da quantidade de alimentos,* uma vez que quem come mais vezes ao dia tende, supostamente, a ingerir quantidades menores em cada uma dessas diversas refeições pela ausência de fome.

Essa teoria, porém, quando se leva em conta o todo do organismo humano e o funcionamento dos processos digestivos, esbarra em algumas incoerências. O ser humano, ao longo da história, nunca dispôs da abundância atual de alimentos, nem da facilidade de acesso a eles. As pessoas não dispunham de condições de manter esses intervalos de alimentação e, portanto, não creio que Deus tenha criado o corpo humano com uma necessidade que, na maior parte da história, não teria sido atendida.

Além disso, intervalos menores na alimentação podem até manter certo equilíbrio metabólico, mas, certamente, geram desequilíbrio hormonal. "E hormônios como a insulina, por exemplo?", perguntam os médicos nutrólogos. A resposta é que sem intervalos maiores entre as refeições a insulina se mantém alta, o que não é bom. Insulina constantemente alta significa que o corpo responderá com resistência insulínica e vários problemas de saúde se instalarão. Jason Fung, autor do esclarecedor livro *O código da obesidade,* explica detalhadamente a questão do equilíbrio da insulina:

> A insulina é um regulador-chave do metabolismo energético, e é um dos hormônios fundamentais que promovem a acumulação e o armazenamento de gordura. A insulina facilita a absorção de glicose nas células para a obtenção de energia. Sem insulina suficiente, a glicose se acumula na corrente sanguínea. A diabetes tipo 1 resulta da destruição autoimune, no pâncreas, das células produtoras de insulina, o que, consequentemente, baixa sensivelmente os níveis de insulina. [...]
>
> Quando comemos, os carboidratos ingeridos causam um aumento da glicose disponível a uma quantidade maior do que a necessária. A insulina ajuda a levar essa glicose abundante pela corrente sanguínea para ser armazenada e reservada para uso posterior. Nós armazenamos essa glicose, transformando-a, no fígado, em glicogênio — um processo conhecido como glicogênese. ("Gênesis" quer dizer "criação de", portanto, esse termo significa "criação de glicogênio".) As moléculas de glicose são concatenadas em cadeias longas para formar o glicogênio. A insulina é o principal estímulo da glicogênese. Podemos converter a glicose em glicogênio e esse de volta em glicose com muita facilidade.
>
> Mas o fígado tem um espaço de armazenamento limitado para o glicogênio. Uma vez preenchido esse espaço, os carboidratos em excesso serão

transformados em gordura — um processo chamado "neolipogênese". (Ou seja, "criar gordura de novo".)

Horas após uma refeição, os níveis de açúcar no sangue e insulina começam a cair. Há menos glicose disponível para ser usada pelos músculos, pelo cérebro e por outros órgãos. O fígado começa a decompor o glicogênio em glicose para liberá-la na circulação geral com o objetivo de gerar energia — o processo reverso de armazenamento de glicogênio. Em geral, isso acontece de madrugada, se assumirmos que você não come nesse horário.

O glicogênio é liberado com facilidade, mas seu suprimento é limitado. Durante um curto período de jejum ("jejum" significa que você não come nada), seu corpo possui glicogênio disponível em quantidade suficiente para operar. Durante um jejum prolongado, seu corpo pode criar nova glicose a partir de suas reservas de gordura — um processo chamado gliconeogênese ("criação de novos açúcares"). A gordura é queimada para liberar energia, a qual é então enviada para o corpo — o processo reverso de armazenamento de gordura.

A insulina é um hormônio de armazenagem. A ampla ingestão de alimentos leva à liberação de insulina. A insulina, em seguida, ativa o armazenamento de açúcar e gordura. Quando não há ingestão de alimentos, os níveis de insulina caem e a queima de açúcar e gordura é ativada.

Esse processo acontece todos os dias. Normalmente, esse sistema bem projetado e equilibrado mantem-se sob controle. Nós comemos, a insulina aumenta, então nós armazenamos energia em forma de glicogênio e gordura. Nós ficamos sem comer, a insulina baixa e usamos nossa energia armazenada. Enquanto nossos períodos de alimentação e jejum estiverem em equilíbrio, esse sistema também se manterá equilibrado. No caso de tomarmos o café da manhã às 7 horas e terminarmos de jantar às 19 horas, as 12 horas de alimentação equilibram as 12 horas de jejum.[3]

O que esse entendimento tem a ver com os intervalos entre as refeições? A verdade é que, cientificamente falando, não precisamos comer mais do que as três refeições e que os períodos de jejum entre a última refeição de um dia e a próxima do dia seguinte deveriam respeitar um intervalo de, no mínimo, doze horas. Evite "beliscar" entre as refeições. Além da questão insulínica, já explicada, reduzir refeições pode significar, também, redução calórica. Uma conta interessante que devemos fazer é a soma desses

[3] Jason Fung, *O código da obesidade: Decifrando os segredos da prevenção e cura da obesidade* (São Paulo: nVersos, 2019), p. 73-74.

"lanchinhos" ao longo do ano. Carl Dreizler e Mary E. Ehemann, no livro *Comece hoje a perder peso*, questionam:

> Você sabia que as trezentas calorias acrescentadas diariamente pelo lanche aumentarão seu consumo energético em aproximadamente 110 mil calorias em um ano? Isso é uma quantidade enorme de sobrepeso provocado por um pequeno e inofensivo lanche.[4]

Adotei isso como padrão alimentar há um tempo. Raramente como com menos de doze horas de intervalo de um dia para o outro. Muitas vezes, estendo o chamado "jejum intermitente" (falarei mais sobre isso no próximo capítulo) para períodos de dezesseis a dezoito horas, deixando apenas de seis a oito horas para comer. Isso se tornou um hábito quando deixei de tomar o café da manhã e concentrei as refeições no almoço (um bom almoço, de preferência) e em um lanche mais leve ao anoitecer. O dr. Mercola afirma que "esse acesso contínuo à comida impede seu corpo de passar pelos processos de reparo e rejuvenescimento que ocorrem durante o jejum".[5]

Evidentemente, estou apresentando algo que merece ser classificado como "conselho", e não como "doutrina". Alguns preferem evitar comer sempre que não sentem fome, mas a dificuldade com isso tem a ver com as rotinas necessárias ao corpo.

## Quanto comer?

Quanto devemos comer? O alimento é apresentado nas Escrituras como fonte de sustento: "Tendo *sustento* e com que nos vestir, estejamos contentes" (1Tm 6.8). No capítulo anterior, contudo, vimos que a comida não é somente fonte de sustento, mas *também* de prazer. O problema se dá quando tratamos a alimentação como se fosse *tão somente* fonte de prazer. A verdade é que não é necessário promover festas e celebrações diárias. Sem mudar essa mentalidade teremos problemas com a maneira de nos alimentar.

Recordo-me da época em que ainda lutava com a obesidade e pedi um conselho a um amigo, o pastor Francisco — que exerceu grande influência

[4] Carl Dreizler e Mary E. Ehemann, *Comece hoje a perder peso* (Rio de Janeiro: Thomas Nelson Brasil, 2012), p. 23.

[5] Mercola, *Combustível para a saúde*, p. 215.

em minha vida e hoje já se encontra com o Senhor. Na ocasião em que conversamos, ele não havia experimentado quase nenhuma alteração de peso nas últimas quatro décadas. Perguntei-lhe como conseguia aquela "façanha". A resposta dada é que tinha tudo a ver com a mentalidade, o conceito que temos sobre alimentação. E disparou: *"Eu não vivo para comer; eu como para viver"*. Acho que isso resume a perspectiva que precisamos desenvolver e sustentar acerca da comida.

O ideal, salvo as exceções de ocasiões festivas, é comer somente aquilo de que precisamos para a manutenção do corpo, tanto de nutrientes quanto de energia. A mesma Bíblia que apresenta a comida como fonte de prazer, e não apenas de sustento, mostra a sabedoria de quem aprende a manter a perspectiva de prazer sob controle:

> Feliz é você, ó terra cujo rei é filho de nobres
> e cujos príncipes se sentam à mesa a seu tempo
> *para refazer as forças*
> e não para se embriagar.
>
> Eclesiastes 10.17

Nem toda refeição deveria ser tratada como festiva. O foco deve ser o sustento do corpo. "Coma alguma coisa, para você ter mais força para a viagem" (Jz 19.5). Uma boa nutrição nos fornece a energia necessária para nossas atividades e preserva a saúde. Comer em excesso é prejudicial. É possível que, atualmente, tenhamos mais gente morrendo no mundo por *excesso* de alimento do que pela *falta* dele.

Uma boa forma de avaliar se o quanto comemos (e até mesmo o que comemos) está correto é se o fazemos para *saciar a fome* ou se levantamos da mesa empanturrados. Muita gente come por questões emocionais, buscando conforto e prazer nos alimentos. Nosso objetivo deveria ser saciar a fome — que é o sinal do corpo da necessidade de comer. Observe alguns exemplos bíblicos:

> No dia seguinte, quando saíram de Betânia, *Jesus teve fome*. E, vendo de longe uma figueira com folhas, foi ver se nela acharia alguma coisa. Aproximando-se dela, nada achou, a não ser folhas; porque não era tempo de figos.
>
> Marcos 11.12-13

O que levou Jesus a procurar figos? A Bíblia pontua que o motivo foi a fome, e nada além disso. A alimentação deve ser, via de regra, orientada ao sustento, à nutrição que provê as necessidades do corpo, salvo exceções, como eventuais ocasiões de celebração.

> No dia seguinte, enquanto eles viajavam e já estavam perto da cidade de Jope, Pedro subiu ao terraço, por volta do meio-dia, a fim de orar. *Estando com fome, quis comer*; mas, enquanto lhe preparavam a comida, sobreveio-lhe um êxtase.
>
> Atos 10.9-10

A Bíblia poderia apenas ter relatado que Pedro, enquanto orava, teve uma experiência sobrenatural, uma visão. Mas acrescentou o detalhe: "Estando com fome, quis comer". Qual o propósito desse registro? Paulo assegurou, escrevendo aos crentes de Roma, que "tudo o que no passado foi escrito, *para o nosso ensino* foi escrito" (Rm 15.4).

Vale ressaltar que, quando discutimos o *quanto* comemos, isso deve ser avaliado pelas necessidades diárias de nosso corpo, não se limitando ao tamanho da refeição. Joseph Mercola, estimulando a prática do jejum intermitente, afirma:

> Em vez de ajustar a quantidade de alimento, como acontece na restrição calórica de longo prazo, você só precisa modificar quando come e, claro, escolher os alimentos com inteligência. Demonstrou-se que apenas o ciclo entre períodos de alimentação e jejum em um cronograma diário, semanal ou mensal proporciona muitos dos mesmos benefícios da restrição calórica. Escolher quando comer e quando jejuar dessa forma é conhecido como "jejum intermitente". Como observa meu colega e defensor do jejum, o Dr. Dan Pompa: "Não coma uma menor quantidade, coma menos vezes".[6]

Além de avaliar se estamos comendo mais do que o necessário pelo estado de nosso estômago quando levantamos da mesa, também devemos levar em conta a questão do peso. Quilos excedentes são um indicativo — ainda que haja outras questões de saúde envolvidas — de que necessitamos de mudança em nossa alimentação, seja a *quantidade* ou a *qualidade* dos alimentos que ingerimos. Aliás, *o que* comer é o próximo assunto.

[6] Mercola, *Combustível para a saúde*, p. 220.

## Quais alimentos evitar?

Os alimentos devem ser divididos em, pelo menos, dois grupos básicos: os *saudáveis* e os *não saudáveis*. Os não saudáveis são aqueles compostos pelo grupo dos que apresentam, naturalmente, propriedades que não produzirão boa resposta em nosso organismo, que tenham muitas toxinas, ou mesmo os industrializados e processados que, obviamente, também estão poluídos pela química de conservantes, corantes, saborizantes e aromatizantes.

Há um episódio, narrado nas Escrituras, que me faz refletir sobre a qualidade dos alimentos que temos escolhido ingerir.

> Eliseu voltou para Gilgal. Havia fome naquela terra. Quando os discípulos dos profetas estavam sentados diante dele, Eliseu disse ao seu servo:
>
> — Ponha a panela grande no fogo e faça um cozido para os discípulos dos profetas.
>
> Então um deles saiu para o campo a fim de apanhar ervas. Ele achou uma trepadeira silvestre e, colhendo *os frutos*, encheu a sua capa com eles. Voltou para casa, cortou os frutos em pedaços e os pôs na panela, *mesmo sem saber o que eram*. Depois, deram de comer aos homens. Enquanto comiam do cozido, gritaram:
>
> — *Morte na panela*, ó homem de Deus!
>
> E não puderam comer. Mas Eliseu disse:
>
> — Tragam farinha.
>
> Ele a colocou na panela e disse:
>
> — Sirva às pessoas para que comam.
>
> E já não havia mal nenhum na panela.
>
> 2Reis 4.38-41

O que era essa "morte na panela"? O fruto colhido para fazer aquele cozido era, certamente, tóxico. Não penso que o Livro Sagrado registre o grito "morte na panela" apenas como força de expressão. Warren Wiersbe especula: "Quais foram as evidências de que a comida estava envenenada? Talvez o primeiro indício tenha sido o gosto amargo na panela, e é possível que os homens tenham sentido dor de estômago e náuseas".[7]

[7] Warren W. Wiersbe, *Comentário Bíblico Expositivo*, Vol. 2 (Santo André: Geográfica, 2006), p. 506.

A palavra utilizada no original hebraico, traduzida nesse texto por "frutos", é *paqquʿah*, que significa "cabaças". Muitas versões bíblicas traduziram por "colocíntidas". F. F. Bruce comenta: "Pensam os estudiosos que essa trepadeira tenha sido a *citrullus colocynthus*, uma fruta amarela com poderes laxantes. O grito: *Morte na panela!* (v. 40) pode não ter sido nada mais do que um despreocupado 'Estão nos envenenando!'".[8] Matthew Henry aponta: "Alguns pensam que fosse conquintida, uma erva extremamente catártica, e, se não atenuada, perigosa".[9] Russel Champlin apresenta um comentário semelhante: "Talvez a planta ofensora fosse a colocíntida, que facilmente poderia ser confundida com uma cabaceira. Era uma fruta parecida com a laranja. Tratava-se de um poderoso catártico, que, em grandes quantidades, tornava-se bastante venenoso".[10]

Por que um alimento tóxico, não saudável, prejudicial, foi parar na panela? O texto bíblico sinaliza que o erro não foi intencional; antes, provinha da *ignorância* de quem preparou a comida. Isso me parece um perfeito paralelo de nossa condição atual. Atualmente, também temos morte em nossas panelas! Muito daquilo que comemos tem levado ao corpo uma série de disfunções, debilidades, doenças e, até mesmo, morte prematura.

O milagre operado por Eliseu está mais para exceção do que para regra. Não há registro de que tenham voltado a ingerir as colocíntidas só porque uma intervenção divina se manifestou na primeira vez que comeram o fruto tóxico. E, não, não há nenhum versículo bíblico que proibia alimentar-se de colocíntida. O bom senso, no entanto, como já observado, deve guiar-nos a restrições autoimpostas quanto aos alimentos que não são saudáveis.

Por isso aconselho, seguramente, que se evite, o máximo possível, o consumo de alimentos *industrializados* e *processados*. Além disso, devemos ser cautelosos com o consumo de alimentos como os *derivados do leite*, por exemplo. Não apenas por causa da lactose, mas também por ser um alimento altamente inflamatório. O *glúten* também tem deixado um rastro de problemas de saúde maior do que mensuramos.

[8] F. F. Bruce, *Comentário Bíblico NVI: Antigo e Novo Testamentos* (São Paulo: Vida, 2012), p. 412.
[9] Matthew Henry, *Comentário Bíblico Antigo Testamento*, Vol. 2 (Rio de Janeiro: CPAD, 2018), p. 561.
[10] R. N. Champlin, *O Antigo Testamento interpretado versículo por versículo*, Vol. 3. (São Paulo: Hagnos, 2018), p. 27.

A seletividade alimentar não visa apenas a boa nutrição. Nosso intestino, que é diretamente impactado pelo que comemos, também é responsável por boa parte da produção hormonal e regula a imunidade. Conforme observa o dr. Helion Póvoa: "É impressionante que o intestino responda por 80% do nosso potencial imune, e todos devemos ficar muito atentos para esse dado, pois a imunidade é um dos maiores pilares da boa saúde".[11]

Diferentemente do moço que saiu em busca de alimento para os discípulos dos profetas, não seja ignorante acerca daquilo que você coloca em sua panela. Tenho investido tempo e recursos estudando a alimentação e o funcionamento do corpo para não mais cometer esse tipo de erro — uma vez que muitos anos de minha vida foram um paralelo dessa história.

Acredito ainda que, além de adotar uma alimentação saudável, todo cristão também deveria acrescentar a prática do jejum a seu estilo de vida. E não me refiro apenas aos benefícios espirituais dessa disciplina, mas, também, a seu impacto positivo sobre nossa saúde — assunto que abordaremos no próximo capítulo.

[11] Póvoa, *O cérebro desconhecido*, p. 75.

# 8

# OS SAUDÁVEIS EFEITOS DO JEJUM

Quando vocês jejuarem...

MATEUS 6.16

Continuando o assunto das restrições alimentares, temos agora de abordar a questão do jejum. O que é, exatamente, o jejum? Cito a definição extraída de meu livro, *A cultura do jejum* (aliás, a maior parte do conteúdo deste capítulo foi extraído e adaptado de lá):

> O jejum bíblico é, em essência, uma abstinência intencional de alimentos visando a *propósitos espirituais*. Pode incluir, em períodos menores, a privação da ingestão de água, embora seja feito normalmente sem tal contenção. Também possui variações que admitem a abstinência parcial, excluindo apenas determinados grupos de alimentos, porém permitindo outros.
>
> A palavra empregada nos manuscritos gregos e traduzida como "jejum" é *nesteia* (νηστεια). Derivada de *ne*, elemento de negação, e *esthio*, "comer", significa abstinência de alimentos. Podem ser adotadas outras formas de abstinência além da alimentar, conquanto, fundamentalmente, jejum consiste em privação de comida. [...]
>
> O jejum não é — como alguns pensam — uma espécie de "moeda de troca" ou ferramenta de barganha. Também não é um sacrifício que, por si só, gera recompensas. Isso tudo seria uma contradição à graça, revelada em Cristo, que se acessa mediante a fé (Rm 5.2). [...]

Embora Jesus tenha garantido que haveria recompensa, "E o seu Pai, que vê em secreto, lhe dará a recompensa" (Mt 6.18), o jejum não é, em si mesmo, o fator responsável pelo resultado — apesar de ser, indubitavelmente, um excelente auxílio para o exercício da fé que, sim, conduz-nos a resultados.

O jejum é, antes de mais nada, uma ferramenta, utilizada na busca a Deus, que contribui ao processo de rendição. Ele potencializa a mortificação da carne e seus apetites, de modo a levar-nos a aspirar, desimpedidamente, pelas coisas celestes. Outras bênçãos, decorrentes de seu uso adequado, são mera consequência; elas constituem efeito colateral, e não propósito.[1]

Para nós, cristãos, o propósito dessa abstinência alimentar autoimposta é, sobretudo, de ordem espiritual. Isso significa que o jejum possui *propósitos espirituais* que nos levam a combiná-lo com *oração* e outras devoções, como *adoração*, além de *leitura, meditação* e *estudo* das Escrituras Sagradas. Não quer dizer, no entanto, que a lista de benefícios do jejum não inclua *o aspecto físico* e que o jejum não possa ser feito visando, também, o impacto saudável que exerce sobre o cuidado do corpo. Ainda que esse aspecto seja visto como mero efeito colateral, o impacto saudável, na vida de quem o pratica de modo recorrente, é inquestionável.

O jejum é, seguramente, parte das disciplinas espirituais esperadas dos cristãos, ainda que alguns tentem se esquivar dessa prática usando desculpas teologicamente mal formuladas, que alegam que esse tipo de abstinência não seja para nossos dias, ao passo que outros insinuam que, embora *possamos* jejuar, não significa que "tenhamos" de fazê-lo.

O que a Bíblia diz acerca do jejum? Meu propósito aqui não é esgotar o tema — ato que me propus no já mencionado livro acerca do assunto. Mas precisamos de algumas considerações básicas. As Escrituras ordenam que jejuemos? Apesar de evidentemente não haver um *imperativo*, uma ordenança explícita sobre jejuar, o Novo Testamento está repleto de *menções* ao jejum e *indicativos* claros de que ele seria parte de nosso estilo de vida e, de igual modo, *instrui-nos* sobre o modo correto de praticá-lo.

Ao considerar o ensino de Jesus, não há como negar que o Mestre *contava* que jejuássemos:

> *Quando* vocês jejuarem, não fiquem com uma aparência triste, como os hipócritas; porque desfiguram o rosto a fim de parecer aos outros que estão jejuando.

[1] Luciano Subirá, *A cultura do jejum* (São Paulo: Hagnos, 2022), p. 71, 73-74.

Em verdade lhes digo que eles já receberam a sua recompensa. Mas você, quando jejuar, unja a cabeça e lave o rosto, a fim de não parecer aos outros que você está jejuando, e sim ao seu Pai, em secreto. E o seu Pai, que vê em secreto, lhe dará a recompensa.

Mateus 6.16-18

Embora, aparentemente, Jesus não estivesse ordenando jejuar, ao menos não no sentido de um imperativo, suas palavras revelam que, no mínimo, ele esperava de seus discípulos a prática do jejum. Cristo não disse "se jejuarem", mas colocou ênfase na instrução sobre o jejum para "quando" o fizéssemos. E, além de instruir sobre a motivação correta ao jejuar, ainda destacou que tal prática produz resultados. Como deduzir outra coisa diferente de que nosso Senhor manifestou clara *expectativa* de que seus seguidores jejuassem?

Houve, convém observar, um momento em que questionaram a Cristo o fato de seus discípulos não jejuarem. Naquele tempo, era costume dos fariseus jejuar dois dias por semana (Lc 18.12), às segundas e quintas.[2] A resposta oferecida pelo Mestre é muito esclarecedora:

Será que vocês podem fazer com que os convidados para o casamento jejuem enquanto o noivo está com eles? No entanto, virão dias em que o noivo lhes será tirado, e então, *naqueles dias, eles vão jejuar.*

Lucas 5.34-35

Observe a afirmação de Jesus. Ele não disse ser contra a prática do jejum por seus discípulos, apenas enfatizou que se tratava de uma *questão de tempo* — depois que fosse tirado do convívio direto com os discípulos, voltando ao céu, então eles haveriam de jejuar. Ou seja, quando Cristo falou sobre o jejum, não se restringiu somente àquele tempo, mas apontou para um período específico: quando estariam sem o noivo, a partir de sua morte e ressureição. A declaração do Mestre, portanto, derruba por terra o argumento de que o jejum foi uma determinação exclusiva e restrita aos judeus da antiga aliança. Como negar, diante de tamanha clarificação bíblica, que o jejum seja algo que nosso Senhor espera de todos os seus remidos? Como

[2] R. N. Champlin, *Enciclopédia de Bíblia, Teologia e Filosofia,* Vol. 3 (São Paulo: Hagnos, 2015), p. 442.

negar que tal orientação tenha sido dada também à Igreja? Ou que a própria Igreja o tenha praticado desde o início da era cristã?

Observe dois registros bíblicos sobre a igreja em Antioquia:

> Enquanto eles estavam adorando o Senhor e jejuando, o Espírito Santo disse:
> — Separem-me, agora, Barnabé e Saulo para a obra a que os tenho chamado.
> Então, *jejuando e orando*, e impondo as mãos sobre eles, os despediram.
>
> Atos 13.2-3

> E, promovendo-lhes, em cada igreja, a eleição de presbíteros, depois de *orar com jejuns*, os encomendaram ao Senhor, em quem haviam crido.
>
> Atos 14.23

Assim como em Antioquia, uma igreja composta majoritariamente de gentios, encontramos, novamente, a prática da oração com jejuns em outras igrejas estabelecidas entre os gentios. Isso aponta para a cultura do jejum se estabelecendo além do ambiente judaico e não se limitando, portanto, à antiga aliança.

Se alguém não quiser viver uma vida marcada pelo hábito de jejuar, é sua *escolha* — assim como também serão suas as *consequências* da negligência dessa disciplina. Entretanto, ninguém possui o direito de *contrariar* as Escrituras, afirmando que o jejum não é importante ou mesmo necessário.

O que a Palavra de Deus não define é a duração, o tipo e a periodicidade com que se deve jejuar. Isso significa que cada um decide como, quando (e até quando) e de quanto em quanto tempo fará aquilo que *ele tem de fazer*. Há liberdade sobre a *maneira* de praticar o jejum; o jejum, no entanto, não pode ser tratado como opcional.

## É saudável ao corpo?

Enquanto alguns são absolutamente contrários ao jejum, na discussão de ser ou não uma prática saudável, outros a defendem amplamente. Certa ocasião, o dr. Aldrin Marshall, um médico amigo, cristão, que vem me acompanhando de perto em vários jejuns prolongados desde 2018, confidenciou-me: "A verdade é que, na medicina, há muita discussão teórica e pouco laboratório prático; não temos muitos estudos de caso, porque o jejum, especialmente o prolongado, tornou-se uma prática pouco comum".

Nos jejuns em que ele me ofereceu acompanhamento médico (o que tem ocorrido em todos os meus jejuns prolongados), pediu uma bateria de exames antes e outra depois. Recentemente, adicionamos algumas no meio do período. O propósito, além de monitorar meu estado de saúde, era entender um pouco melhor os efeitos do jejum no corpo, quanto à perspectiva fisiológica. Sempre houve melhoras significativas em meu estado de saúde, não o contrário.

Decidi, nos últimos anos, estudar tudo o que pudesse sobre a fisiologia do jejum e também me dispor a ser uma espécie de "cobaia" de estudos e experimentos. E afirmo: estou mais do que convencido, munido de inúmeras pesquisas científicas, e com o apoio da experiência prática, documentada por meio de diversos exames médicos, que o jejum é uma ferramenta poderosa para aqueles que querem cuidar do corpo.

O jejum é uma prática antiga, milenar. Vem sendo testada há muito tempo. Os que a atacam normalmente não compõem o grupo dos que costumam jejuar nem parecem apresentar estudos de caso consistentes. Comumente oferecem especulações teóricas e, não raro, preconceituosas. O dr. Jason Fung, nefrologista, reconhecido como um dos maiores especialistas mundiais na prática do jejum para perda de peso e reversão da diabetes tipo 2, autor do livro *O código da obesidade*, é um defensor do jejum e reconhece-o como um antigo remédio:

> O jejum é um dos remédios mais antigos da história humana e tem sido parte da prática de quase todas as culturas e religiões do planeta. [...]
>
> Como uma tradição de cura, o jejum tem uma longa história. Hipócrates de Kos (aprox. 460-370 a.C.) é considerado por muitos o pai da medicina moderna. Entre os tratamentos que ele prescreveu e preferiu, encontra-se o jejum e o consumo de vinagre de maçã. Hipócrates escreveu: "Comer quando você está doente é alimentar sua doença". O escritor grego antigo e historiador Plutarco (aprox. 46-120 d.C.) também refletiu esses sentimentos. Ele escreveu: "Em vez de usar remédios, é melhor jejuar hoje". Platão e seu estudante Aristóteles também foram apoiadores convictos do jejum.
>
> Os gregos antigos acreditavam que o tratamento médico poderia ser descoberto por meio da observação da natureza. Os seres humanos, assim como os animais, não comem quando adoecem. Pense na última vez que você teve um resfriado. Provavelmente, a última coisa que você gostaria de fazer era comer. Jejuar parece uma resposta universal a diversas formas de doenças e está

conectada à herança humana, tão antiga quanto a própria humanidade. O jejum é, de certa forma, um instinto. [...]

Outros gigantes intelectuais também foram grandes proponentes do jejum. Paracelso (1493-1541), o fundador da toxicologia e um dos três pais da medicina oriental moderna (junto com Hipócrates e Galeno), escreveu: "O jejum é o maior dos remédios; é o médico interior". Benjamin Franklin (1706-1790), um dos pais fundadores dos Estados Unidos da América e reconhecido por seu grande conhecimento, certa vez escreveu sobre o jejum: "O melhor de todos os remédios é o repouso e o jejum".[3]

Às pessoas que justificam não jejuarem alegando não se tratar de uma prática saudável, devo dizer que estão ignorando pesquisas e apontamentos médicos robustos. Além disso, creio que muitas delas desconhecem, de forma prática, os impactos do jejum em seu próprio corpo, especialmente o efeito desintoxicador. Asseguro que é impressionante como o intestino não apenas é limpo mas também se regula depois do jejum; a limpeza na pele é perceptível com poucos dias; ânimo, vigor e energia são todos positivamente afetados. Valnice Milhomens comenta que "morre mais gente por falta de jejum, do que de comida. Se houvesse mais jejum, haveria menos doenças".[4]

O maior questionamento, portanto, não deveria ser quão saudável ou não é a prática do jejum, e sim se devemos — biblicamente falando — jejuar. Hipoteticamente, se os cientistas comprovassem que orar não é saudável, eu ainda seguiria praticando a vida de oração. Por quê? Porque tenho um direcionamento bíblico claro acerca da oração e não faria deliberadamente nenhuma escolha contrária às Escrituras. Comecei a jejuar por causa daquilo que a Palavra de Deus diz, e não porque, cientificamente falando, seja aconselhável jejuar.

Não obstante, devemos concluir, com o uso de uma lógica simples, que a mesma Bíblia que nos orienta a não destruir o corpo — o templo do Espírito Santo — *não nos orientaria a uma prática não saudável*. Portanto, afirmo: o jejum, feito de modo correto, é saudável não só para nossa vida espiritual

[3] Jason Fung, *O código da obesidade: Decifrando os segredos da prevenção e cura da obesidade* (São Paulo: nVersos, 2019), p. 219-220.

[4] Valnice Milhomens Coelho, *O jejum e a redenção do Brasil* (São Paulo: Palavra da Fé Produções, 2020), p. 229.

como também para nosso corpo. Questionar esse fato é questionar as próprias Escrituras.

E, além da questão da fé, ainda temos a ciência ao nosso lado; e cito o dr. Fung: "Faz mal à saúde? A resposta é não. Estudos científicos concluem que o jejum traz benefícios significativos à saúde. O metabolismo aumenta, a energia aumenta e a glicemia diminui".[5]

O dr. Aldrin Marshall, em apêndice médico-científico para meu livro *A cultura do jejum*, comenta:

> O aspecto espiritual do jejum não pode ser separado do médico-científico e, para isto, faz-se necessário entender quais mecanismos bioquímicos estão por trás do ato de jejuar e quais os benefícios advindos desta prática milenar, que transcende culturas e religiões. [...]
>
> Em 2016, o cientista japonês Yoshinori Oshumi recebeu o Prêmio Nobel de Medicina por seus estudos sobre autofagia. O termo *autofagia* se origina das palavras gregas *auto*, que significa "eu", e *phagein*, que significa "comer". Assim, autofagia significa "autocomer". Essencialmente, é o mecanismo do corpo que se ocupa de livrar-se de todas as máquinas celulares antigas, defeituosas (organelas, proteínas e membranas celulares), quando não há mais energia suficiente para sustentá-las. É um processo regulamentado e ordenado para degradar e reciclar componentes celulares. A autofagia foi descrita pela primeira vez em 1962, quando os pesquisadores notaram um aumento no número de lisossomos (a parte da célula que destrói o material antigo) em células hepáticas de ratos após a infusão de glucagon. O cientista, também ganhador do Prêmio Nobel, Christian de Duve, foi quem cunhou o termo autofagia.[2] Sobre o processo, em suma, partes subcelulares danificadas e proteínas não usadas tornam-se marcadas para destruição e, em seguida, são enviadas aos lisossomos para que terminem o trabalho de destruí-las.
>
> Diante do conhecimento adquirido sobre processos celulares fundamentais à homeostase (equilíbrio) das células, vários artigos começaram a ser publicados sobre a possível relação entre a prática do jejum e a otimização do processo de autofagia e seus efeitos sobre a longevidade saudável e a prevenção de doenças.
>
> No contexto médico, podemos classificar o jejum em três categorias:
>
> 1. *Restrição calórica:* uma pessoa que precisa de 2.500 calorias diárias e consome 1.500 calorias está no que pode ser chamado um processo de jejum.

[5] Fung, *O código da obesidade*, p. 230.

2. *Jejum fisiológico:* é aquele em que se passa pelo menos 12 horas sem consumir nada que tenha calorias, podendo ingerir água, café, chás ou chimarrão.
3. *Jejum metabólico:* é o jejum no qual, neste período mínimo de 12 horas, não se promove o aumento da insulina, hormônio relacionado ao metabolismo da glicose. Pode-se até comer, mas somente alimentos que não ativam a insulina; ela não é ativada, por exemplo, quando se consome gorduras. Uma das estratégias utilizadas é o café *"bulletproof"* (café com óleo de coco e manteiga),[6] no qual o jejum fisiológico é quebrado, mas não o metabólico. Esse controle é importante, porque a insulina elevada cria um terreno para inflamação.[7]

As descobertas das pesquisas apontam cada vez mais na mesma direção. Por isso, entendo ser importante compreender o que o jejum faz em nosso corpo — para além de seus evidentes resultados espirituais. Passemos a um resumo do aspecto fisiológico do jejum.

## A fisiologia do jejum

Muitos crentes têm receio do jejum, e digo isso por experiência própria. Em minhas primeiras experiências com o jejum, mesmo os de um dia só, eu imaginava que poderia *morrer* de fome — e não se trata de mera força de expressão!

Com o tempo e a prática, os temores desapareceram. Constatei não apenas que não há ameaças ao corpo (salvo exceções, que indicarei adiante), como, pelo contrário, há benefícios provenientes da desintoxicação promovida pela abstinência alimentar. Confesso, avaliando as coisas pelo entendimento que tenho hoje, que gostaria de ter tido acesso às informações fisiológicas desde o início de minha prática de jejuar.

É necessário remover os medos provenientes da desinformação. Desse modo, quero incentivar a perseverança na prática de jejuar, porque assim cada jejuador poderá provar e comprovar seus efeitos. Um passo para desmistificar o jejum é compreender que não se trata de algo *sobrenatural*

[6] Saiba mais sobre o café metabólico em "Café com óleo de coco e manteiga", Canal Metanoia Saúde (YouTube), 7 de junho de 2020, <https://youtu.be/1w47vONqX74>.
[7] Subirá, *A cultura do jejum*, p. 247-250.

— embora possamos obter do Senhor o que denomino de "uma graça para jejuar". Via de regra, o jejum é algo *natural*, ou seja, humanamente possível.

A fase inicial costuma gerar certo mal-estar. Em caso de jejum prolongado, pode levar três dias para que os sintomas de desintoxicação desapareçam — tudo dependerá de quão saudável é a alimentação de cada um e se houve ou não *preparo* para esse tipo de jejum.

Já ouvi desculpas das mais absurdas para não jejuar, mas uma merece destaque: "É que eu fico com fome", disse alguém. Respondi rindo: "A ideia é justamente essa!". Sim, há um medo da fome, porém mais que isso: as pessoas receiam não apenas a fome em si, mas o que ela pode fazer ao corpo. Por isso é fundamental trazer à tona o aspecto fisiológico do jejum para que tal engano seja desfeito e o medo se dissipe.

Para melhor esclarecer o ponto, citarei outra explicação do médico Jason Fung, extraída do livro *O código da obesidade*. O dr. Fung possui larga experiência (e também um belo "laboratório de análise") no tratamento a obesos e diabéticos do tipo 2, tendo como uma de suas principais ferramentas o jejum. Observe o que ele diz sobre o efeito do jejum no corpo humano:

> A glicose e a gordura são as principais fontes de energia do corpo. Quando a glicose não está disponível, o corpo se ajusta para usar a gordura, sem qualquer prejuízo à saúde. [...] A transição do estado alimentado para o estado de jejum ocorre em várias etapas:
>
> *Alimentação*: durante as refeições, os níveis de insulina aumentam. Isso permite a absorção de glicose por tecidos como o músculo ou cérebro para uso direto como energia. O excesso de glicose é armazenado como glicogênio no fígado.
>
> *A fase pós absorção* (6 a 24 horas após o início do jejum): os níveis de insulina começam a cair. A quebra do glicogênio libera glicose para energia. Os depósitos de glicogênio duram aproximadamente 24 horas.
>
> *Gliconeogênese* (24 horas a 2 dias): o fígado fabrica nova glicose a partir de aminoácidos e glicerol. Em pessoas não diabéticas, os níveis de glicose caem, mas permanecem dentro da faixa normal.
>
> *Cetose* (um a três dias após o início do jejum): a forma de armazenamento de gordura, os triglicerídeos, é decomposta na espinha dorsal de glicerol e três cadeias de ácidos graxos. O glicerol é usado para gliconeogênese. Ácidos graxos podem ser usados diretamente para produção de energia por muitos tecidos no corpo, mas não pelo cérebro. Corpos cetônicos, capazes de cruzar a barreira hematoencefálica, são produzidos a partir de ácidos graxos para ser usado pelo

cérebro. As cetonas podem fornecer até 75% da energia usada pelo cérebro. Os dois principais tipos de cetonas produzidas são o beta hidroxibutirato e o acetoacetato, que podem aumentar em mais de 70 vezes durante o jejum.

*Fase de conservação de proteínas* (após cinco dias): altos níveis de hormônio do crescimento mantêm a massa muscular e os tecidos magros. A energia para manutenção do metabolismo basal é quase totalmente obtida pelo uso de ácidos graxos livres e cetonas. Os níveis elevados de neropinefrina (adrenalina) evitam a diminuição da taxa metabólica.

O corpo humano é bem adaptado para lidar com a ausência de comida. O que estamos descrevendo aqui é o processo ao qual o corpo é submetido para passar da queima de glicose (em curto prazo) para a queima de gordura (em longo prazo). A gordura é, simplesmente, a energia de alimentos armazenada no organismo. Em tempos de escassez de comida, o alimento armazenado (gordura) é naturalmente liberado para preencher esse vácuo. O corpo não "queima músculo" para se alimentar até que todos os depósitos de gordura sejam usados.[8]

A verdade é que, em um jejum prolongado, só com água, por exemplo, a pessoa não está privada de alimento; o que acontece é uma troca do alimento *externo* por um alimento *interno* — as reservas de gordura do corpo.

Deus não nos orientaria, em sua Palavra, a uma prática que acarretasse danos ao corpo, e devemos crer na veracidade, autoridade e utilidade das Escrituras. De uma vez por todas, o assunto deve ser desmistificado. Ressalto que há exceções a considerar, mas destaco que as exceções não anulam a regra.

Sempre oriento as pessoas a iniciarem a prática do jejum de forma *lenta*, embora também diga que a prática deve ser *progressiva*. Assim, você descobrirá por si só, na prática, a importância e os efeitos do jejum (em sua vida espiritual e física) e ainda aprenderá quais são as respostas e os limites de seu próprio corpo.

## Os benefícios do jejum

Joseph Mercola, em sua obra *Combustível para a saúde*, relaciona os confirmados efeitos positivos do jejum em nosso corpo e saúde:

1. *Estabilização da glicemia.* Ao não absorver calorias, os níveis de glicemia caem para os níveis normais de jejum, bem abaixo de 100. Eles também estabilizam

[8] Fung, *O código da obesidade*, p. 221.

quando o fígado começa a produzir glicose pelo processo de glineogênese, pelo menos em não diabéticos.

2. *Redução dos níveis de insulina e melhora à resistência à insulina.* Com a queda da glicemia, seu corpo não precisa liberar tanta insulina para transportar a glicose da corrente sanguínea para as células, então os níveis de insulina também caem e seu corpo se cura da resistência à insulina.
3. *Descanso para o intestino e sistema imunológico.* Com o jejum, o trato digestivo descansa e regenera sua mucosa. Além disso, o sistema imunológico não fica sob o estresse contínuo a se dedicar a um fluxo constante de antígenos alimentares, deixando-o livre para participar na regeneração dos órgãos. Além disso, jejuns breves provocarão a ativação das células-tronco para produzir novos glóbulos brancos, aumentando a imunidade.
4. *Produção de cetonas.* Como as cetonas fornecem uma fonte alternativa de energia, elas também preservam a massa muscular. E, claro, elas são uma alternativa necessária à glicose para o cérebro e o sistema nervoso central.
5. *Aumento da taxa metabólica.* Seus níveis de adrenalina se elevam para dar energia na ausência de alimento, significando que sua taxa metabólica geral aumenta (em oposição ao mito de que o jejum paralisa o metabolismo e coloca seu corpo em "modo de fome").
6. *Limpeza das células danificadas.* O jejum provoca a autofagia, uma rotina de limpeza natural usada por seu corpo para limpar resíduos celulares, incluindo toxinas, enquanto também recicla os componentes celulares danificados. A autofagia ou "comer a si mesmo" [...] contribui com muitas funções importantes, ajudando suas células-tronco a reter a habilidade de manter e reparar seus tecidos, refrear a inflamação, desacelerar o processo de envelhecimento, diminuir o crescimento do câncer e otimizar a função biológica.
7. *Diminuição da fome.* Ao contrário da crença popular, uma vez adaptado ao jejum, suas sensações subjetivas de fome diminuem. Por quê? Em grande parte, porque o jejum baixa os níveis de insulina e leptina e melhora a sensibilidade aos receptores de insulina e leptina. Essas duas melhorias metabólicas ajudam a mobilizar a oxidação das reservas de gordura e outros grandes incentivos hormonais à obesidade e doença crônica.
8. *Perda do excesso de gordura corporal.* Nos meus 30 anos de clínica prática, eu percebi claramente que o jejum intermitente foi uma das formas mais eficazes, e fáceis, de se livrar do excesso de gordura corporal sem perder a massa magra. Quando você passa por um longo período sem comer, você consome

menos calorias gerais, significando que a composição corporal é naturalmente regulada para proporções ideais. [...]

9. *Redução dos níveis de hormônios que provocam o câncer.* Fazer intervalos regulares na ingestão alimentar não só reduz os níveis de insulina e leptina, mas também o fator de crescimento semelhante à insulina tipo 1 (IGF-1), um hormônio potente que age na sua glândula pituitária para induzir efeitos metabólicos e endócrinos poderosos, incluindo o crescimento e a replicação celulares. Os níveis elevados de IGF-1 estão associados com muitos cânceres, incluindo o de mama e o de próstata. As células cancerígenas têm mais receptores para esse hormônio do que as normais, e a redução dos níveis de IGF-1 está associada com uma proliferação celular reduzida em muitos cânceres. O jejum também reduz os níveis das citocinas pró-inflamatórias, pequenas proteínas que também têm uma função na promoção do câncer.
10. *Desacelaração do envelhecimento.* Além de aumentar os níveis de hormônio do crescimento humano, o jejum diminui o acúmulo de radicais livres nas suas células, prevenindo assim o dano oxidativo a proteínas celulares, lipídios e DNA. O dano é muito associado com o envelhecimento e a maioria das doenças crônicas. O jejum também inibe a via da proteína alvo da rapamicina em mamíferos (mTOR), que [...] é uma via de sinalização celular antiga que controla a insulina, a leptina e o IGF-1, e é responsável pelo crescimento ou reparo, dependendo se for estimulada ou inibida. Inibir a mTOR é precisamente seu objetivo, se sua intenção for regular para cima a manutenção e o reparo, aumentar a longevidade e reduzir seu risco de câncer. Isso significa que é uma boa ideia para quase todo mundo, exceto fisiculturistas e atletas competitivos.
11. *Estimula a queima de gordura.* Ao comer o dia todo, você nunca precisa recorrer às suas reservas de glicogênio (glicose armazenada). Quando você passa pelo menos 18 horas sem se alimentar, se você ainda não estiver queimando a gordura como principal combustível para seu corpo, ou 13 horas se estiver, as reservas de glicogênio no seu fígado se esgotam radicalmente. Nesse ponto, seu corpo é forçado a recorrer à sua reserva de gordura para ter energia — e aqui começa o estado da queima de gordura [...].
12. *Proteção do funcionamento cerebral.* O jejum também pode ter um impacto benéfico no seu funcionamento cerebral, e pode até ser a chave para a prevenção da doença de Alzheimer e outros transtornos mentais crônicos.[9]

[9] Mercola, *Combustível para a saúde*, p. 216-219.

E o dr. Mercola ainda acrescenta: "Outro benefício desse jejum é que você conseguirá passar horas sem uma queda de energia, porque a gordura fornece uma fonte de combustível contínua, ao contrário da glicose, que provoca picos de glicose / insulina, pontadas de fome frequentes e quedas de energia".[10]

## Contraindicações

Há contraindicações ao jejum? O dr. Mercola, estudioso e entusiasta do jejum em seus diferentes formatos, incluindo o *jejum intermitente* (que inclui, mais comumente, intervalos diários de doze a dezoito horas sem comer), também apresenta algumas contraindicações do jejum que não podem ser ignoradas. Elas servem tanto para a prática do intermitente como também de jejuns maiores:

> Embora eu creia que o jejum intermitente [...] seja uma forma poderosa de melhorar a sua função fisiológica e até o seu nível mitocondrial, ele não serve para todos. Indivíduos que tomem medicação, especialmente os diabéticos, precisam de supervisão médica, caso contrário há um risco de hipoglicemia.
>
> Caso você tenha problemas nas adrenais, doença renal crônica, vive com estresse crônico (fadiga adrenal) ou tiver cortisol desregulado, deverá resolver essas questões antes de implementar o jejum intermitente. Além disso, não faça o jejum caso tenha uma doença chamada porfiria.
>
> Caso seu objetivo seja desenvolver músculos ou praticar esportes competitivos, como corridas de curta distância, que demandam glicose para as fibras musculares de contração rápida, o jejum intermitente pode não ser a melhor estratégia.
>
> Mulheres grávidas e no período de amamentação não devem praticar o jejum intermitente, pois o bebê precisa de uma maior variedade de nutrientes antes e após o nascimento, e não há pesquisas corroborando a segurança do jejum durante esse importante período.
>
> Crianças abaixo de 18 meses também não devem fazer o jejum por períodos longos. Pessoas de qualquer idade que estiverem preocupadas com a subnutrição ou estiverem abaixo do peso (com um índice de massa corporal, ou IMC, abaixo de 18,5), ou tiverem um distúrbio alimentar como anorexia nervosa, devem evitar o jejum.

[10] Ibid., p. 224.

Quando você implementar o jejum intermitente, observe quaisquer sinais de hipoglicemia, ou queda na glicemia, que incluem:

1. Tontura.
2. Tremedeira.
3. Confusão.
4. Desmaios.
5. Suor excessivo.
6. Visão embaçada.
7. Fala arrastada.
8. Sensações de arritmia.
9. Sensações de pontadas e formigamento na ponta dos dedos.

Caso você suspeite de uma queda no açúcar, coma algo que não tenha impacto nos seus níveis de glicemia, como óleo de coco no café ou no chá.[11]

## Como jejuar?

Há grande liberdade pessoal para que cada um pratique o jejum como bem entender. A instrução bíblica se limita ao fato de que devemos praticá-lo; ou seja, ela é focada em "quê", e não "como" ou "quando".

Muitos me perguntam sobre as regras do jejum. Paulo afirmou: "o atleta não é coroado se não competir segundo as regras" (2Tm 2.5); diferentemente do esporte, porém, *o jejum não vem com um manual de regras*. Gosto de brincar que a regra é que não há regras! O que temos, nas Escrituras Sagradas, são *princípios* e *orientações*, que nos ajudam mais em relação ao "por que" fazemos (motivações e propósitos) do que ao "como" fazemos.

Alguém pode jejuar um dia por semana, por mês ou com qualquer outra periodicidade. Pode escolher o tipo de jejum e qual será sua duração. Não há, portanto, regras pré-definidas. Cada um gerencia como melhor entender ou conforme a direção que receber do Espírito Santo.

## Tipos de jejum

Os diferentes tipos de jejum que encontramos na Bíblia são:

[11] Ibid., p. 226-227.

1. *Parcial.* O jejum parcial é a abstinência de determinados *tipos de alimentos*, porém não de todos. Admite a ingestão de líquidos, e não só água, além de alimentos de que o jejuador não tenha se proposto privar-se. O exemplo mais claro desse tipo de jejum foi feito por Daniel, o que tem levado muitos a usarem as expressões "jejum de Daniel" e "jejum segundo Daniel" como referência ao jejum parcial. "Naqueles dias, eu, Daniel, fiquei de luto *por três semanas*. Não comi *nada que fosse saboroso, não provei carne nem vinho*, e não me ungi com óleo algum, até que passaram as três semanas" (Dn 10.2-3). Obviamente, Daniel não estava fazendo uma dieta — sim, às vezes percebo alguns banalizarem dessa forma o jejum do profeta. Jejuns são feitos com *propósitos espirituais*, inclusive os parciais. Um anjo de Deus falou com Daniel ao final daquele jejum e disse que o profeta "dispôs o coração a compreender e a se humilhar na presença do seu Deus" (Dn 10.12), uma clara aprovação do ato. Que Daniel tinha o hábito de jejuar, fica atestado no capítulo anterior: "Voltei o rosto ao Senhor Deus, para o buscar com oração e súplicas, com jejum, vestido de pano de saco e sentado na cinza" (Dn 9.3). Fato é que Daniel fazia jejuns e, ao que tudo indica, não apenas na modalidade parcial, apesar de ser um ícone dessa forma específica de jejuar. João Batista, por exemplo, alimentava-se de gafanhotos e mel silvestre (Mt 3.1-6).
2. *Normal.* A Palavra de Deus, ao falar do jejum de Jesus, revela que ele "*nada comeu* naqueles dias, ao fim dos quais *teve fome*" (Lc 4.2). Observe as expressões "nada comeu" e "teve fome". Diferentemente dos relatos bíblicos de jejum absoluto, não há menção de que Cristo "não bebeu", tampouco de que ele "teve sede".
3. *Total (ou absoluto).* O jejum total — ou absoluto como alguns preferem denominar — caracteriza-se pela *abstinência completa*. Ou seja, não se trata apenas da abstinência de alimentos, mas também *de água*. É um dos mais austeros tipos de jejum. No Antigo Testamento, houve um jejum total, de três dias, requisitado por Ester (Et 4.16). Nos mesmos termos, vemos o decreto do rei de Nínive (Jn 3.7). Já no Novo Testamento, constatamos que o jejum de Paulo, em sua conversão, também foi absoluto: "Esteve três dias sem ver, durante os quais nada comeu, nem bebeu" (At 9.9). Ainda temos o exemplo de um profeta, enviado por Deus a Betel: "assim me ordenou o SENHOR Deus pela sua palavra,

dizendo: Não coma *nem beba nada* naquele lugar" (1Rs 13.9). Não costumamos encontrar, nem nos relatos bíblicos nem entre os que praticam jejum total, períodos maiores do que três dias. O corpo humano, composto em grande parte de água, necessita dela para a sobrevivência, por isso uma desidratação intensa e prolongada pode gerar sérios danos físicos. Há, no entanto, exceções tanto bíblicas quanto históricas que enquadro como *jejum sobrenatural*, entre elas o episódio de Moisés jejuando por quarenta dias sem comer nem beber; não se pode ignorar que ele o fez imerso na nuvem da glória de Deus e que esse jejum tem, decididamente, o rótulo de sobrenatural.

A maneira de distinguir, na Bíblia, se o jejum é total, sem água ou normal, com água, é observando a própria descrição. Quando, de fato, não houve ingestão de água, os escritos mencionam tal nível de abstinência; veja o exemplo de Esdras:

> Esdras se retirou de onde estava, diante da Casa de Deus, e foi para a câmara de Joanã, filho de Eliasibe. Ao entrar ali, não comeu pão *nem bebeu água*, porque pranteava por causa da infidelidade dos que tinham voltado do exílio.
>
> Esdras 10.6

Contudo, quando a Bíblia não detalha essa especificidade, é porque houve ingestão de água. Em resumo, o jejum normal é a abstinência de todo tipo de alimento, contudo sem privação de água, diferenciando-o, assim, do jejum total.

De todos os tipos de jejum, o *parcial* é o que possibilita a maior diversidade. Alguém pode permanecer muitos dias fazendo uso do jejum intermitente, por exemplo, pulando certa quantidade de refeições. Outro pode não diminuir a quantidade de refeições, mas incluir privação de determinados alimentos. É possível passar dias apenas com sucos de frutas e caldos de legumes. Como tenho afirmado com recorrência, cada um determina seu próprio tipo de jejum — ou segue uma direção *personalizada* do Espírito Santo.

Ademais, é possível somar a jejuns regulares também uma *vida jejuada*, a exemplo de Daniel e João Batista. Trata-se de uma rotina de abstenção alimentar parcial com benefícios patentes ao corpo e ao espírito.

## Duração

Quanto tempo deve durar um jejum? Como já estabelecido, a Bíblia não determina regras. Cada um é livre para escolher quando, como e quanto jejua. É possível, contudo, encontrar exemplos de jejuns com duração distinta nas Escrituras. Eles não necessariamente determinam a duração de nosso jejum, mas ampliam nossa perspectiva, principalmente acerca da possibilidade de jejuar por períodos maiores. Os exemplos bíblicos, acerca dos prazos de duração, são:

- *Um período do dia.* Josué se prostrou, com o rosto em terra, diante do Senhor, depois da derrota em Ai, "até a tarde" (expressão que indicava o fim do dia). Apesar de o texto não explicitar o jejum, sua prostração com o rosto em terra, sem nenhuma outra atividade, sugere que houve jejum (Js 7.6). Outro exemplo diz respeito aos israelitas, quando entraram em guerra civil com os benjamitas: "Então todos os filhos de Israel, todo o povo, foram a Betel, choraram, estiveram ali diante do SENHOR e jejuaram aquele dia até a tarde" (Jz 20.26). Um terceiro exemplo é Davi lamentando a morte de Saul e Jônatas: "Então Davi rasgou as suas próprias roupas, e todos os homens que estavam com ele fizeram o mesmo. Prantearam, choraram e jejuaram até a tarde por Saul, por Jônatas, seu filho, pelo povo do SENHOR e pela casa de Israel, porque tinham caído à espada" (2Sm 1.12). Alguns especulam que a expressão "até a tarde" signifique o ciclo do dia completo dos hebreus e não se trate de apenas uma parte do dia; entretanto, tanto no caso de Josué como no Davi, o jejum foi decidido de improviso, *ao longo do dia*, depois da notícia recebida — isso implica um jejum inferior a 24 horas.
- *1 dia.* O jejum do Dia da Expiação, como já vimos, acontecia em um dia consagrado ao Senhor e era observado por 24 horas (Lv 16.29-31).
- *3 dias.* Tanto o jejum de Ester (Et 4.16) como o de Paulo (At 9.9) tiveram essa duração.
- *7 dias.* Entre os exemplos de jejuns com uma semana de duração estão o dos moradores de Jabes-Gileade, por luto, por ocasião da morte de Saul (1Sm.31.13), e o de Davi, quando intercedia pela criança gerada por Bate-Seba (2Sm 12.15-18).

- *14 dias*. O jejum involuntário de Paulo e dos que com ele estavam no navio durou duas semanas, em meio a uma grande tormenta (At 27.33).
- *21 dias*. O jejum de Daniel, em favor de Jerusalém, durou três semanas inteiras (Dn 10.3).
- *40 dias*. Exemplos de jejum por 40 dias, maior prazo encontrado na Bíblia, são o de Moisés (Êx 34.28) e o do Senhor Jesus, no deserto (Lc 4.1-2).

Quando menciono o jejum intermitente, um extraordinário recurso para o cuidado do corpo, alguns me perguntam em qual tipo ele se encaixa. A expressão "intermitente" significa "intervalado" ou "interrompido" e tem a mais a ver com o quesito *duração* do que com o *tipo* de jejum. Trata-se de determinar uma janela diária de tempo para se alimentar e deixar de comer no restante do dia (a maior parte dele). Um exemplo disso, que pratico frequentemente, é comer apenas entre as 12h e 18h e jejuar depois da última refeição de um dia até a primeira do dia seguinte. Dessa forma, alimento-me apenas durante um período de seis horas por dia e permaneço sem comer pelas outras dezoito restantes.

## Preparação

A abstinência alimentar gera desconforto, isso é fato. Não precisa, contudo, ser algo insuportável, ou um processo compulsório de sofrimento que não possa ser amenizado.

A maioria das pessoas reclama de dor de cabeça, irritação, além da falta de energia e disposição, sintomas que são comuns em jejuns menores ou no início dos maiores. Evidentemente, o jejum é, em seu início, para a maioria das pessoas, uma experiência fisicamente desconfortável, o que destaca a importância de uma preparação. O preparo ideal depende do tipo de jejum. O jejum parcial, por exemplo, requer menos tempo de preparação que o normal e o total. No jejum *parcial*, o processo de desintoxicação será mais ameno porque a pessoa ainda come, apesar de diminuir a quantidade ou o tipo de alimento. No jejum *normal* e no *total*, contudo, a interrupção brusca da alimentação — a menos que se trate de alguém com alimentação altamente saudável, que não é o caso da maioria que consome produtos industrializados e processados — causará desconforto do primeiro ao terceiro dia (essa é uma média genérica, podendo variar em certos casos).

Para jejuns de até 24 horas, a preparação não parece ser tão necessária quanto para os de três dias ou mais. Ainda assim, a decisão de remover, de três a sete dias antes do início do jejum, alimentos com maior volume de toxinas — carne vermelha, café e determinados tipos de chá com alta quantidade de cafeína — pode aliviar as dores de cabeça. Embora nem todos reajam da mesma forma à abstinência de cafeína, a maioria parece incomodar-se com a interrupção do consumo — não é o meu caso —, por isso a preparação faz diferença.

O consumo de frutas e alimentos com fibras também ajudará na limpeza do intestino nos dias de preparação. Algo que me tem sido um ótimo auxiliar nesse processo preparatório, há muitos anos, é o uso de carvão vegetal (que se pode adquirir nas farmácias sem necessidade de prescrição, embora seja tanto prudente quanto necessário, como eu fiz, consultar um médico sobre seu uso).

E, ao iniciar-se o jejum, deve-se ingerir o máximo possível de água; de dois a quatro litros por dia. Depois dos primeiros dias, parece ficar mais difícil tomar água; beba-a, então, aos poucos, mas ao longo de todo o dia. Exercícios que o levem a transpirar também são de grande auxílio no curso da preparação, visando a desintoxicação.

Finalizo encorajando-o a fazer do jejum um estilo de vida. Passei a maior parte dos dois últimos anos em jejuns intermitentes. Mas, como exposto, ainda podemos diversificar com o uso de jejuns parciais e também com os de um dia de duração por semana — uma prática excelente para o descanso do sistema gastrointestinal e demais benefícios apresentados.

# 9

# DESCANSO

... eles pensavam que tivesse falado do repouso do sono.

JOÃO 11.13

As Sagradas Escrituras não só falam do descanso, referindo-se a uma necessária pausa do trabalho com a finalidade do ser humano se recompor, como também o relacionam diretamente com a questão do sono — como constatamos no versículo acima. Neste capítulo quero apontar a importância de ambos para nossa saúde e, de modo especial, advertir uma geração hiperativa e notívaga a preocupar-se mais com a questão do sono como expressão da boa mordomia do corpo.

O descanso não é um luxo, é uma questão de sobrevivência. Ele afetará não apenas a *duração* de nossa vida como também a *qualidade* de vida que teremos.

Confesso que nem sempre entendi isso. Costumava dizer, como parte do time dos hiperativos e notívagos, que se houvesse algum tipo de comprimido para tomar a fim de não precisar dormir eu o faria com certa regularidade (descobri, tempos depois, que esses comprimidos já existiam). E costumava transbordar minha imensa ignorância dizendo: "Dormir, para mim, é perda de tempo. Gastamos um terço da vida completamente improdutivos, fazendo absolutamente nada".

Muitos daqueles que nunca repetiram algo semelhante provavelmente já ouviram essa tolice sendo afirmada por outros. A pergunta a se fazer, aos que creem na Palavra do Deus bendito, Criador de todas as coisas, é: Alguma coisa do que Deus fez não foi bem planejada? Não reflete a infinitude de sua sabedoria? O fato de não termos as explicações de que gostaríamos sobre todos os detalhes da criação divina não nos dá o direito de desconfiar do Deus cujo caráter está acima de qualquer suspeita e cujas obras são perfeitas.

Insisto em repetir que meu propósito, neste livro, é destacar o ensino *bíblico* sobre o cuidado do corpo. Não sou médico e não tenho conhecimento fisiológico profundo, embora cite, em várias porções deste ensino, comentários de cientistas e especialistas de saúde de áreas diversas. A intenção, com tais citações, é tão somente enfatizar que a ciência segue "descobrindo" verdades que as Escrituras já expunham há muito tempo.

O sono, com tudo o que proporciona em nosso estado de repouso, é mais do que uma necessidade fisiológica a ser respeitada; é parte do plano divino a ser obedecido. Tal consciência, devidamente corroborada pelo entendimento bíblico, deveria produzir em nós uma radical mudança de pensamento e comportamento.

## Determinação divina

Deus, desde a criação, estabeleceu e destacou a importância do descanso:

> Assim, pois, foram acabados os céus e a terra e tudo o que neles há. E, havendo Deus terminado no sétimo dia a sua obra, que tinha feito, *descansou* nesse dia de toda a obra que tinha feito. E Deus *abençoou* o sétimo dia e o *santificou*; porque nele *descansou* de toda a obra que, como Criador, tinha feito.
>
> Gênesis 2.1-3

A observação de um dia semanal santificado de repouso seria, posteriormente, incorporada ao Decálogo, os dez mandamentos que foram comunicados a Moisés e, por seu intermédio, a toda a nação de Israel:

> Lembre-se do dia de *sábado*, para o santificar. Seis dias você trabalhará e fará toda a sua obra, mas o sétimo dia é o sábado dedicado ao SENHOR, seu Deus. *Não faça nenhum trabalho* nesse dia, nem você, nem o seu filho, nem a sua filha,

nem o seu servo, nem a sua serva, nem o seu animal, nem o estrangeiro das suas portas para dentro. Porque em seis dias o SENHOR fez os céus e a terra, o mar e tudo o que neles há e, ao sétimo dia, *descansou;* por isso o SENHOR abençoou o dia de sábado e o santificou

Êxodo 20.8-11

Não estou defendendo aqui a guarda do sábado, em caráter de mandamento, em nossos dias. Sabemos que, na nova aliança, o sábado passou a ser reconhecido como o simbolismo de um bem vindouro. Nas palavras do apóstolo Paulo:

Portanto, que ninguém julgue vocês por causa de comida e bebida, ou dia de festa, ou lua nova, ou *sábados,* porque tudo isso tem sido sombra das coisas que haviam de vir; porém o corpo é de Cristo.

Colossenses 2.16-17

Se entendesse o sábado como um mandamento divino a ser guardado nestes tempos, Paulo diria que ninguém deveria ser julgado por causa do sábado? Claro que não! Dirigindo-se aos romanos, ele comenta a questão da distinção de determinados dias:

Acolham quem é fraco na fé, não, porém, para discutir opiniões. Um crê que pode comer de tudo, mas quem é fraco na fé come legumes. Quem come de tudo não deve desprezar o que não come; e o que não come não deve julgar o que come de tudo, porque Deus o acolheu. Quem é você para julgar o servo alheio? Para o seu próprio dono é que ele está em pé ou cai; mas ficará em pé, porque o Senhor é poderoso para o manter em pé.

Alguns pensam que *certos dias são mais importantes do que os demais,* mas outros pensam que *todos os dias são iguais.* Cada um *tenha opinião bem-definida* em sua própria mente. Quem pensa que certos dias são mais importantes faz isso para o Senhor. Quem come de tudo faz isso para o Senhor, porque dá graças a Deus. E quem não come de tudo é para o Senhor que não come e dá graças a Deus.

Romanos 14.1-6

Paulo fala de diferentes opiniões que não deveriam ser discutidas entre os cristãos. Além de questões alimentares, ele aborda a diferenciação de dias mencionando que "alguns pensam que certos dias são mais importantes do que os demais" e contrastando-os com os que "pensam que todos os dias são iguais". E pontua, diante da divergência de conceitos dos dois grupos, que "cada um tenha opinião bem-definida em sua própria mente". Isso parece ser, para você, a abordagem de quem acreditava na guarda do sábado como um mandamento para a igreja gentílica? Para mim, definitivamente não.

O apóstolo ainda repreendeu os gálatas, que estavam voltando aos rudimentos da lei, com as seguintes palavras: "Vocês guardam dias, meses, tempos e anos. Receio que o meu trabalho por vocês tenha sido em vão" (Gl 4.10-11). Essa, seguramente, não seria a declaração de quem enxergava a observância do sábado como mandamento.

O livro de Hebreus, que, a exemplo de Colossenses, também aponta que a lei não tinha a imagem exata das coisas e sim a sombra dos bens vindouros (Hb 10.1), sinaliza que "resta um repouso sabático para o povo de Deus" (Hb 4.9), relacionando-o, assim, com a plena redenção. Sei que o assunto da releitura do Novo Testamento sobre o sábado merece mais atenção do que estes breves comentários, mas não é nosso foco aqui. O ponto é que, ainda que tenha dado um mandamento com prazo de validade, visto que a lei seria reformada (Hb 9.9-10) e que Deus estava mirando uma mensagem *posterior*, e não apenas o tempo da ordenança literal do dia de descanso, não podemos negar um princípio prático por trás dele: a *necessidade* de descanso.

O Criador estabeleceu um descanso semanal para o homem e um repouso de um ano, após seis de trabalho, para a terra. (Em Levítico 25.2-4, constatamos o estabelecimento de um ano sabático no cultivo do solo.)

Tudo o que é *natural* foi criado com essa característica da necessidade de repouso, embora no plano *espiritual* possamos concluir que seja diferente. Por exemplo, o descanso do próprio Deus não é literal, nos termos em que necessitamos de repouso, uma vez que a Bíblia apresenta o Senhor como incansável: "Será que você não sabe, nem ouviu que o eterno Deus, o SENHOR, o Criador dos confins da terra, nem se cansa, nem se fatiga?" (Is 40.28).

O ponto a ser enfatizado é que, embora hoje o sábado não tenha o peso de um mandamento, o princípio por trás de sua instituição — além da sua tipologia profética — é de que necessitamos de descanso. O destaque a essa necessidade surge quando vemos promessas divinas que sustentam o paralelo do descanso até mesmo para a alma humana:

O Senhor é o meu pastor;
nada me faltará.
Ele *me faz repousar* em pastos verdejantes.
Leva-me para junto das *águas de descanso;*
*refrigera-me a alma.*
Guia-me pelas veredas da justiça
por amor do seu nome.

Salmos 23.1-3

Ele *fortalece o cansado*
e multiplica as forças ao que não tem nenhum vigor.
Os jovens se cansam e se fatigam,
e os moços, de exaustos, caem,
mas os que esperam no Senhor *renovam as suas forças,*
sobem com asas como águias,
correm e não se cansam,
caminham e não se fatigam.

Isaías 40.29-31

— Venham a mim todos vocês que estão *cansados e sobrecarregados,* e eu os *aliviarei.* Tomem sobre vocês o meu jugo e aprendam de mim, porque sou manso e humilde de coração; e vocês acharão *descanso para a sua alma.*

Mateus 11.28-29

Apresentei a visão do descanso relacionada ao sábado, ainda que, obviamente, ela não se limite a isso. Desde o início o Criador planejou cotas de descanso *diário* que se dão no turno da noite.

Jesus respondeu:

— Não é verdade que *o dia tem doze horas*? Se alguém andar de dia, não tropeça, porque vê a luz deste mundo. Mas, *se andar de noite, tropeça, porque nele não há luz.*

Tendo dito isso, acrescentou:

— Nosso amigo Lázaro *adormeceu, mas vou para despertá-lo.*

Então os discípulos disseram:

— Senhor, se dorme, estará salvo.

Jesus falava da morte de Lázaro, mas *eles pensavam que tivesse falado do repouso do sono.* Então Jesus lhes disse claramente:

— Lázaro morreu. Por causa de vocês me alegro de que não estivesse lá, para que vocês possam crer. Mas vamos até ele.

João 11.9-14

Antes de falar sobre Lázaro, nosso Senhor destaca que o dia tem doze horas. Ou seja, o período de iluminação natural que permite trabalho, trânsito e outras atividades é de metade do dia. As outras doze horas, de escuridão, são limitadoras. Por isso Jesus afirmou que se alguém "andar de noite, tropeça, porque nele não há luz". Tão logo diferenciou o dia da noite, o período de atividade do de inatividade, Cristo falou sobre Lázaro ter adormecido e sua intenção de despertá-lo. O que os discípulos concluíram? O texto sagrado aponta que "eles pensavam que tivesse falado do repouso do sono". Por que associaram isso ao sono literal? Porque era o contexto da conversa. E para onde essa lógica, destacada na conversa deles, nos leva? Para o propósito pelo qual o Criador dividiu o dia em luz e trevas, claridade e escuridão. Indiscutivelmente havia um propósito por trás do plano divino: que o homem não focasse apenas a necessidade de produtividade, mas também a necessidade de descanso.

E Deus disse:

— Que haja luzeiros no firmamento dos céus, para *fazerem separação entre o dia e a noite*; e sejam eles para sinais, para estações, para dias e anos. E sirvam de luzeiros no firmamento dos céus, para iluminar a terra.

E assim aconteceu. Deus fez os dois grandes luzeiros: *o maior para governar o dia, e o menor para governar a noite*; e fez também as estrelas. E os colocou no firmamento dos céus para iluminarem a terra, para governarem o dia e a noite e *fazerem separação entre a luz e as trevas. E Deus viu que isso era bom.*

Gênesis 1.14-18

E a conclusão final dessa divisão também apresenta um ponto que não pode ser ignorado: "Deus viu que isso era bom". Se já conseguimos chegar a essa mesma conclusão de Deus, isto é, de que se trata de algo bom, é outra conversa. O ponto é que o descanso é parte do projeto divino da criação e precisa ser entendido como tal.

O descanso do sono deve ser observado tanto em sua *recorrência*, em cotas diárias, como também em sua *duração* e *horários* devidos. Desde o início do advento da eletricidade e, piorando com todo o avanço tecnológico, a escuridão da noite — fator que foi um inquestionável limitador na produtividade humana — vem perdendo o poder de nos fazer parar para o tão necessário descanso. Observe esta declaração de Jesus:

> — Se um de vocês tiver um amigo e for procurá-lo *à meia-noite*, dizendo: "Amigo, me empreste três pães, porque outro amigo meu chegou de viagem e eu não tenho nada para lhe oferecer"; e se o outro lhe responder lá de dentro: "Deixe-me em paz! A porta já está fechada, e *eu e os meus filhos já estamos deitados*. Não posso me levantar para lhe dar os pães", digo a vocês que, se ele não se levantar para dar esses pães por ser seu amigo, ele o fará por causa do incômodo e lhe dará tudo de que tiver necessidade.
>
> Lucas 11.5-8

Enquanto nosso Senhor ensinava sobre a oração, destacou a importância da persistência nas súplicas. E, no exemplo que deu, apontou que à meia-noite a família toda encontrava-se deitada. Antigamente o termo "meia-noite" tinha significado literal. Tratava-se da metade da noite. Hoje, no entanto, muitos de nós nem mesmo foram para a cama nesse horário!

Não estou advogando que se deva dormir às oito horas da noite, como faziam os antigos. Há adequações inevitáveis na modernidade. Por outro lado, se não percebermos que há uma hora necessária para interromper a produtividade, dando lugar ao descanso, entraremos em colapso — físico e mental. O repouso é essencial não somente à duração da vida como também à sua qualidade. Já mencionei o que alguém me disse, com muita propriedade: "Não estou apenas tentando acrescentar mais anos à minha vida; estou procurando, também, acrescentar mais vida aos meus anos".

Se a necessidade de descanso é tão abrangente, a ponto de se estender à integralidade do ser humano (espírito, alma e corpo), será que ele deveria ser negligenciado em qualquer uma dessas dimensões? Obviamente que não. Entretanto, essa não é a história que mais se repete:

> [O Senhor] disse:
> "Este é o descanso;
> *deem descanso ao cansado.*
> E este é o refrigério."
> *Mas eles não quiseram ouvir.*
>
> Isaías 28.12

O que encontramos nessa porção das Escrituras? De um lado, constatamos Deus tanto determinando quanto oferecendo descanso; do outro, a negligência de seu povo: "mas eles não quiseram ouvir". Triste, mas a humanidade segue achando-se mais sábia do que o próprio Criador e ignorando, conscientemente ou não, seus santos conselhos.

E qual é o resultado de tal rebeldia? O que acontece quando não observamos os princípios divinos?

## Uma hora a conta chega

Um pensamento que nos é comum, no vigor da juventude, é o de que o descanso negligenciado jamais cobrará sua conta. Grande engano, é só uma *questão de tempo*; uma hora a conta chega! Ao instituir as leis acerca do ano sabático que a terra deveria observar, o Criador também fez advertências sobre as consequências de se quebrar o princípio:

> Então *a terra celebrará nos seus sábados, todos os dias da sua assolação,* e vocês estarão na terra dos seus inimigos; nesse tempo, a terra descansará e observará os seus sábados. Durante todos os dias da assolação a terra descansará, *porque não descansou nos sábados de vocês,* quando vocês moravam nela.
>
> Levítico 26.34-35

A advertência divina foi explícita, sem dificuldade de interpretação ou compreensão. Se os israelitas não respeitassem o descanso sabático do solo a conta chegaria mais tarde — e com alto preço. Eles seriam desterrados e, assim, durante o tempo de sua assolação, a terra coletaria o direito ao descanso que anteriormente lhe fora negligenciado.

Costumo repetir que o princípio espiritual que você quebra acabará quebrando você. Foi o que aconteceu com o povo de Deus, que não guardou a determinação do descanso e acreditou que, por alguma razão inexplicável, a conta nunca chegaria.

Quando os judeus foram levados em cativeiro para a Babilônia, cumpriu-se a advertência dada previamente:

> Os caldeus queimaram a Casa de Deus e derrubaram a muralha de Jerusalém. Queimaram todos os seus palácios, destruindo também todos os seus objetos de valor. Os que escaparam da espada, a esses ele levou para a Babilônia, onde

se tornaram escravos dele e de seus filhos, até o tempo do reino da Pérsia. Isto aconteceu para que se cumprisse a palavra do SENHOR, por boca de Jeremias, *até que a terra desfrutasse dos seus sábados. Durante todos os dias da sua desolação a terra repousou*, até que os setenta anos se cumpriram.

2Crônicas 36.19-21

Como podemos chegar à conclusão, diante do reconhecimento desse princípio espiritual, de que o descanso negligenciado de nosso corpo não terá consequências?

Ainda que a negligência do descanso se baseie em ignorância de informação — seja das determinações divinas do descanso, seja dos detalhes dos resultados que tal omissão produzirá —, não significa que seremos poupados das inevitáveis consequências. Como está escrito: "O meu povo está sendo destruído, pois lhe falta o conhecimento" (Os 4.6).

O neurocientista e especialista em sono Matthew Walker, autor do livro *Por que nós dormimos*, pontua que dois terços dos adultos em todos os países desenvolvidos não seguem a recomendação da Organização Mundial de Saúde de oito horas de sono por noite. E, na sequência, observa:

Duvido que esse dado tenha surpreendido você, mas talvez as suas consequências o espantem. O hábito de dormir menos de seis ou sete horas por noite abala o sistema imunológico, mais do que duplicando o risco de câncer. Sono insuficiente é um fator de estilo de vida decisivo para determinar se um indivíduo desenvolverá a doença de Alzheimer. Sono inadequado — até as reduções moderadas por uma semana — altera os níveis de açúcar no sangue de forma tão significativa que pode fazer com que a pessoa seja classificada como pré-diabética. Ele também aumenta a probabilidade de as artérias coronárias ficarem bloqueadas e quebradiças, abrindo assim o caminho para doenças cardiovasculares, derrame cerebral e insuficiência cardíaca congestiva. [...]

Talvez você também tenha reparado que sente mais vontade de comer quando está cansado. Isso não é coincidência: a insuficiência de sono eleva a concentração de um hormônio que nos faz sentir fome ao mesmo tempo que refreia um hormônio complementar que, ao contrário, gera satisfação alimentar. Apesar de estar satisfeito, você ainda quer comer mais — uma receita comprovada para o ganho de peso tanto em adultos como em crianças com deficiência de sono. [...]

Ao somar as consequências para a saúde já citadas, fica mais fácil aceitar uma relação comprovada: quanto mais breve é o seu sono, mais breve será a sua vida. Portanto, a velha máxima "Dormirei quando estiver morto" é infeliz — adote tal atitude e você estará morto mais cedo e a qualidade dessa vida (mais curta) será pior. O elástico da privação de sono só pode esticar até certo ponto antes de arrebentar. Infelizmente, os seres humanos são a única espécie que se priva deliberadamente de sono sem obter um ganho legítimo. Todos os componentes da saúde física, mental, emocional e incontáveis costuras do tecido social estão sendo erodidos pelo nosso oneroso estado de negligência do sono: tanto humano quanto financeiro.[1]

A privação do sono mata? Se a considerarmos os resultados em curto prazo, só pela perspectiva do dano autoimposto, salvo algum transtorno genético que envolva uma insônia progressiva, normalmente a resposta seria não. Mas e as outras formas de dano causadas pelas consequências de sua negligência? O livro de Atos registra um episódio — não tão incomum na história da humanidade — de outras formas de danos causadas pela administração errada da necessidade do sono:

> No primeiro dia da semana, nós nos reunimos a fim de partir o pão. Paulo, que pretendia viajar no dia seguinte, falava aos irmãos e prolongou a mensagem até a meia-noite. Havia muitas lâmpadas no cenáculo onde estávamos reunidos. Um jovem, chamado Êutico, que estava sentado numa janela, *adormecendo profundamente* durante a prolongada mensagem de Paulo, *vencido pelo sono, caiu do terceiro andar abaixo*. Quando o levantaram, *estava morto*. Mas Paulo desceu, inclinou-se sobre ele e, abraçando-o, disse:
>
> — Não fiquem alvoroçados, pois ele *está vivo*.
>
> Subindo de novo, Paulo partiu o pão e comeu. E lhes falou ainda muito tempo até o amanhecer. E, assim, partiu. Então *conduziram vivo o rapaz* e sentiram-se grandemente confortados.
>
> Atos 20.7-12

Acho tremendo que a condição de morte para vida tenha sido mudada por intervenção divina na história do jovem Êutico, evento que provavelmente não teria ocorrido sem a participação de um homem de fé como o apóstolo Paulo. Fico imaginando, porém, se a expressão "conduziram vivo o rapaz" não indicaria algum nível de consequência da queda que o tenha impossibilitado de voltar para casa sozinho e por si mesmo. A verdade

[1] Matthew Walker, *Por que nós dormimos: A nova ciência do sono e dos sonhos* (Rio de Janeiro: Intrínseca, 2018), p. 15.

ignorada é que muitos acidentes, seja no transito, no trabalho ou em casa, ainda seguem acontecendo por negligência ao sono e ao descanso.

Walker apresenta uma assombrosa estatística quanto a esse tipo de dano produzido pela falta de sono:

> Dirigir com sono é a causa de centenas de milhares de acidentes de trânsito e tragédias todos os anos. E nesse caso não é só a vida dos privados de sono que está em risco, mas a de quem está à sua volta. Tragicamente, a cada hora nos Estados Unidos uma pessoa morre em um acidente de trânsito em virtude de erros relacionados à fadiga. É alarmante saber que o número de acidentes causados por sonolência ao volante excede o dos causados pelo álcool e drogas combinados.[2]

O bom senso segue concordando com as verdades aqui apresentadas. Se não observarmos a necessidade — e importância — do descanso, a conta acabará chegando. Walker ainda observa outro aspecto que confere seriedade maior a isso, que é o fato de o sono perdido não poder ser completamente recuperado: "é importante observar que, seja qual for a quantidade de oportunidades de recuperação, o cérebro nunca chega perto de reaver todo o sono que perdeu".[3]

## Tudo o que Deus fez é bom

Como já vimos, à medida que as realizações do Criador iam sendo executadas, ocorria também uma avaliação das etapas do processo. Em cada uma delas, a constatação divina era semelhante: "E Deus viu que a luz era boa" (Gn 1.4). Depois, a frase "E Deus viu que isso era bom" se repete por cinco vezes (Gn 1.10,12,18,21,25). Por fim, a conclusão de toda a obra é arrematada com a afirmação "Deus viu tudo o que havia feito, e eis que era muito bom" (Gn 1.31).

É necessário entender essa verdade acerca das leis da natureza, determinadas pelo próprio Autor da criação: tudo o que ele fez é bom. Salomão, observando e analisando a realidade com diferenciada sabedoria e escrevendo sob inspiração divina, reconheceu: "Deus fez tudo formoso no seu devido tempo" (Ec 3.11). O Deus Altíssimo, ao determinar que toda a

[2] Ibid., p. 19-20.
[3] Ibid., p. 78.

criação necessita de descanso, revelou que, mais uma vez, como sempre, faz tudo muito bem.

E essas leis não são mutáveis nem transitórias. Elas permanecem eternamente.

> Sei que tudo o que Deus faz *durará eternamente*, sem que nada possa ser acrescentado nem tirado, e que Deus faz isto para que as pessoas o temam.
>
> Eclesiastes 3.14

O profeta Daniel asseverou que o Senhor "é justo em tudo o que faz" (Dn 9.14) e, ao estabelecer as leis que regem o mundo natural, sua própria criação, ele não faltaria com a justiça — traço inquestionável de seu caráter.

Então por que não aceitamos isso com fé, da forma mais simples possível? Por que resistimos ao funcionamento de suas leis? O sono não é exigência exclusiva dos seres humanos — embora tenhamos algumas características singulares, especialmente no tocante aos sonhos. Matthew Walker assevera: "Sem exceção, todas as espécies animais estudadas até hoje dormem ou fazem algo notavelmente parecido com dormir".[4] O especialista do sono pontua ainda que não temos dormido como deveríamos, e que "o número de turnos de sono, sua duração e o momento em que ele ocorre foram totalmente distorcidos pela modernidade".[5]

Jesus, enquanto vivia na condição humana, demonstrou respeito às leis naturais — o que incluía o reconhecimento de limitações humanas como o cansaço e a devida resposta a isso: o descanso. Pois tudo o que Deus fez é bom.

> Assim, Jesus chegou a uma cidade samaritana, chamada Sicar, perto das terras que Jacó tinha dado a seu filho José. Ali ficava o poço de Jacó. *Cansado* da viagem, Jesus *sentou-se junto ao poço*. Era por volta do meio-dia.
>
> João 4.5-6

Mesmo sendo o Filho de Deus, Cristo viveu limitado a um corpo que *se cansava*. Foi o que aconteceu nessa viagem, uma vez que ele e os discípulos haviam caminhado uma longa distância sob o sol intenso (o texto diz que

[4] Ibid., p. 70.
[5] Ibid., p. 83.

"era por volta do meio-dia"). A menção de Jesus sentando-se junto ao poço, por motivo de cansaço, não sugere outra coisa que não a necessidade de recompor-se fisicamente.

Outra passagem bíblica que chama minha atenção nesse sentido trata da ocasião em que nosso Senhor dorme em um barco, em meio a uma tempestade:

> Ora, levantou-se grande temporal de vento, e as ondas se arremessavam contra o barco, de modo que o mesmo já estava se enchendo de água. E Jesus estava na popa, *dormindo* sobre o travesseiro. Os discípulos o *acordaram* e lhe disseram:
>
> — Mestre, o senhor não se importa que pereçamos?
>
> Marcos 4.37-38

Quem conseguiria dormir em uma embarcação agitada pelas águas, sendo encharcado pela chuva e pelas ondas que se arremessavam contra o barco? Somente alguém que se encontra extremamente cansado. Já dormi em aviões e veículos chacoalhando e, sempre, isso só se deu quando eu me encontrava esgotado fisicamente.

Não creio que esses detalhes sobre a vida ministerial de Jesus — o que inclui tanto sua produtividade quanto sua necessidade de descanso — foram registrados à toa, uma vez que a própria Escritura atesta que "tudo o que no passado foi escrito, para o nosso ensino foi escrito" (Rm 15.4). Jesus demonstrou, com seu estilo de vida, que devemos nos sujeitar às leis divinas da criação e dar a nosso corpo o devido descanso.

Quais seriam então os propósitos e benefícios do sono? Walker resume-os com as seguintes palavras:

> Ele proporciona vários benefícios garantidores da saúde, passíveis de serem adquiridos pelo uso contínuo a cada 24 horas caso se queira (Muitos não querem.)
>
> No cérebro, o sono potencializa uma diversidade de funções, incluindo a nossa capacidade de aprender, memorizar e tomar decisões e fazer escolhas lógicas. Ao benevolentemente reparar nossa saúde psicológica, o sono calibra nossos circuitos cerebrais emocionais, permitindo-nos enfrentar os desafios sociais e psicológicos do dia seguinte com sereno auto-controle. [...]
>
> No andar de baixo, no restante do corpo, o sono reabastece o arsenal o do nosso sistema imune, ajudando a combater o câncer, prevenindo infecções e nos protegendo contra todo tipo de doenças. O sono reforma o estado metabólico

do corpo ajustando o equilíbrio de insulina e glicose circulante. Também regula o apetite, ajudando a controlar o peso corporal ao substituir uma alimentação repulsiva pela escolha de alimentos saudáveis. O sono abundante mantém um florescente microbioma no intestino, no qual — como já se sabe — boa parte da nossa saúde nutricional começa. O sono adequado está intimamente associado à boa forma do sistema cardiovascular, baixando a pressão sanguínea ao mesmo tempo que mantém o coração em boa condição.

Sim, uma alimentação equilibrada e a prática de exercícios são de importância vital, porém agora o sono é tido como a força preponderante nessa trindade da saúde. O prejuízo físico e mental causado por uma noite de sono ruim é maior do que os causados por uma equivalente falta de alimento ou de exercício. É difícil imaginar qualquer outro estado — natural ou criado pelo uso de medicamentos — que propicie uma reparação mais poderosa da saúde física e mental em todos os níveis de análise.

Com base em uma rica e nova compreensão científica do fenômeno do sono, já não é preciso perguntar para que serve dormir. Agora somos obrigados a questionar se há alguma função biológica que *não* seja beneficiada por uma noite bem dormida. Até o momento, os resultados de milhares estudos indicam que não há.[6]

Portanto, quando nos recusamos a respeitar a necessidade de descanso, nossa atitude, além de rebelde, também é tola. Como ignorar a sabedoria divina? Como podemos ser tão prepotentes a ponto de achar que entendemos melhor o funcionamento da criação do que o próprio Criador? Seguramente isso não é sensato.

## Afiando o machado

O mundo da comunicação costuma usar um mote ao referir-se à forma como se trabalha as artes visuais: "mais é menos e menos é mais". A essência, por trás da fala conclusiva, é a de que, não raro, muita informação acaba tendo menos impacto, ao passo que, em contrapartida, menos informação produz maior impacto.

Penso que, em termos de produtividade de nosso corpo, a frase também funcione bem. Menos produtividade, em razão da interrupção do descanso, é mais. Mais saúde, disposição, energia e longevidade, determinando assim

[6] Ibid., p. 19-20.

uma produtividade eficiente e contínua. Por outro lado, mais é menos. Ou seja, quanto mais trabalhamos, sem a devida recomposição provida pelo descanso, a qualidade da produtividade bem como sua continuidade acaba sendo comprometida.

Uma verdade espiritual que se aplica muito bem nesse contexto é a que nos foi comunicada no livro de Eclesiastes:

> Quem arranca pedras será ferido por elas,
> e o que *racha lenha* se expõe ao perigo.
> Se o *machado* está embotado e ninguém o *afia*,
> é preciso *redobrar a força*;
> mas com *sabedoria* se obtém *êxito*.
>
> Eclesiastes 10.9-10

Consideremos juntos essa verdade apresentada pelas Escrituras. O contexto, exposto no versículo 9, aponta para quem racha lenha. E, então, depois de enfatizar a *atividade*, passa a falar da *ferramenta*: o machado. Se o corte do machado estiver embotado, será necessário mais esforço, energia e tempo para concluir a tarefa do que o normal. Entretanto, se houver a sabedoria de fazer uma *pausa* no trabalho com a finalidade de recuperar a eficiência da ferramenta amolando seu corte, o resultado será uma produtividade maior com menor consumo de energia e tempo. Essa é a razão de a Palavra de Deus afirmar que a sabedoria (de se afiar o machado) é determinante no resultado do trabalho.

Ninguém pode alegar não poder parar de cortar lenha para afiar seu machado em nome do comprometimento da produtividade. A lógica aponta para a direção contrária! Não pausar, temporariamente, para dar a sua ferramenta melhores condições de trabalho, é que merece a classificação de contraproducente. Ainda assim, muitos de nós — como foi o meu caso — deduzimos que o descanso é perda de tempo.

Recordo-me da ocasião em que o dr. Aldrin Marshall proporcionou-me esse entendimento por meio de uma ilustração. Ele disse:

— Imagine um parque de diversões que funciona todos os dias, ininterruptamente, recebendo milhares de visitantes. Todos os dias, quando as pessoas chegam, o parque está limpo e organizado, e o dia todo, enquanto todos estão lá se divertindo, não há pausas para limpeza e manutenção dos brinquedos. Considerando que é impossível não prover limpeza e manutenção para que o parque siga funcionando, quando é que isso acontece? Durante a noite! Agora imagine que o parque é o seu corpo, ativo todo dia, o dia todo, e que, de modo semelhante, não pode ficar sem limpeza e manutenção. Quando isso ocorre? A resposta segue sendo a mesma: à noite!

De repente, aquele pensamento tolo, de que dormir era perda de tempo, começou a desvanecer-se. Parece surpreendente demais para algo tão simples, mas foi a partir dessa conversa que se iniciou em minha vida um processo de despertamento para a importância do sono.

Enquanto dormimos o machado está sendo afiado. O descanso, uma pausa temporária em nossa produtividade, garante que ela não sofra retrocessos. Tudo o que Deus fez é bom, e isso inclui a necessidade de repouso reparatório.

Destaquei, alguns parágrafos atrás, que Jesus respeitou os limites de seu próprio corpo sem perseguir, de forma insensata, uma dimensão de produtividade fantasiosa. Acrescente-se a esse fato o modo como Cristo lidou com a produtividade de seus discípulos, conforme apresentado intencionalmente pela Bíblia:

> Os apóstolos voltaram à presença de Jesus e lhe *relataram tudo o que tinham feito e ensinado*. E ele lhes disse:
>
> — *Venham repousar um pouco*, à parte, num lugar deserto.
>
> Isto porque eles não tinham tempo nem para comer, visto serem muitos os que iam e vinham. Então foram de barco para um lugar deserto, à parte.
>
> Marcos 6.30-32

Quero destacar três coisas importantes nesses versículos que, como já argumentei, não consistem em mero registro histórico. Paulo, escrevendo aos coríntios e falando acerca daquela geração que saiu do Egito rumo à Canaã, afirmou: "Estas coisas aconteceram com eles para servir de exemplo e foram escritas como advertência a nós, para quem o fim dos tempos tem chegado" (1Co 10.11). O mesmo pode ser dito do que foi registrado sobre os discípulos de Jesus; trata-se de exemplos e advertências oferecidas a mim e a você. Passemos, portanto, às constatações do texto bíblico:

1. O versículo 30 enfatiza a *produtividade*: tendo cumprido a missão para a qual tinham sido enviados, os discípulos retornaram a Cristo, e

houve uma prestação de contas detalhada: "lhe relataram *tudo* o que tinham feito e ensinado".

2. Já o versículo 31 registra a importância da interrupção temporária da produtividade, uma convocação ao *descanso*: "Venham repousar um pouco, à parte, num lugar deserto". Uma observação justa é que a proposta foi pelo maior interessado em nossa produtividade ministerial: o próprio Cristo, que nos comissiona a servi-lo.
3. O versículo 32 ressalta o *motivo* pelo qual a pausa do repouso se mostrou necessária: "Isto porque eles não tinham tempo nem para comer, visto serem muitos os que iam e vinham". O trabalho demasiado se torna comprometedor quando não há descanso. Quando eu era garoto ouvia os mais velhos fazerem alusão à inutilidade de um parafuso quando apertado demais: "Não adianta espanar a rosca".

Como já reconhecido (e repetido), tudo o que Deus fez *é bom* — inclusive a criação do ser humano com sua embutida necessidade de descanso. Ainda que não tivéssemos acesso ao grande volume de informações sobre a importância do sono, fruto de inúmeras descobertas e constatações científicas, a simples crença na orientação bíblica deveria ser suficiente para darmos mais valor e atenção ao descanso. Porém acrescente-se a essa responsabilidade espiritual de andar no que determinam as Sagradas Escrituras as claras informações a que hoje temos acesso, na perspectiva natural, sobre por que precisamos de repouso, e ninguém será indesculpável se optar por prosseguir em deliberada negligência.

## O distúrbio das preocupações

A Palavra de Deus nos revela que o Criador espera que possamos desfrutar de um sono tranquilo e livre de preocupações. Várias passagens atestam isso:

> Eu me deito e pego no sono;
> acordo, *porque* o SENHOR me sustenta.
>
> Salmos 3.5

> Em paz me deito e logo pego no sono,
> porque só tu, SENHOR, me fazes *repousar seguro*.
>
> Salmos 4.8

Quando se deitar, você *não terá medo;*
sim, você se deitará e o *seu sono será tranquilo.*

Provérbios 3.24

Observe que as preocupações e os receios podem afetar a qualidade — e o tempo — do sono. Por outro lado, o sono dos que não se preocupam é apresentado como sendo agradável:

*Doce é o sono* do trabalhador, quer coma pouco, quer muito;
mas a fartura do rico não o deixa dormir.

Eclesiastes 5.12

Os distúrbios do sono podem ser não somente fruto de desordem fisiológica como também provenientes de desordem emocional (e até mesmo espiritual).

Os que servem a Deus devem aprender a andar em fé e confiança, que é outro tipo de descanso: o espiritual. A Escritura diz: "Nós, porém, que cremos, entramos no descanso" (Hb 4.3). Que tipo de descanso é esse? O versículo anterior fala dos israelitas que não fizeram proveito da "palavra que ouviram", ou seja, inutilizaram a promessa divina em sua vida. Por que motivo? O próprio versículo responde: "visto não ter sido acompanhada pela fé naqueles que a ouviram" (Hb 4.2). Sem esse descanso de fé, com emoções expostas às preocupações e à ansiedade, é evidente que a qualidade do sono físico será afetada.

Devemos levar em conta, ainda, o impacto negativo que as desordens relacionais proporcionam. A Escritura adverte:

Fiquem irados e não pequem. *Não deixem que o sol se ponha sobre a ira de vocês,* nem deem lugar ao diabo.

Efésios 4.26-27

Por muito tempo, eu entendi que a frase "não deixem que o sol se ponha sobre a ira de vocês" indicava tão somente a necessidade de um conserto rápido, em uma perspectiva meramente relacional. Não havia considerado, até recentemente, que brigas e reações emocionais mais intensas afetam a *qualidade* do sono. Isso é fato. E tenho ouvido relatos de problemas dessa ordem ao longo de três décadas de aconselhamento pastoral.

Deus não apenas espera que descansemos como também deseja que desfrutemos de um sono de boa qualidade, em todos os aspectos. Por causa disso, entre outros fatores, nos adverte a que nos mantenhamos longe de ansiedades e preocupações:

> *Não fiquem preocupados* com coisa alguma, mas, em tudo, sejam conhecidos diante de Deus os pedidos de vocês, pela oração e pela súplica, com ações de graças. E a *paz de Deus*, que excede todo entendimento, *guardará o coração e a mente* de vocês em Cristo Jesus.
>
> Filipenses 4.6-7

> Lancem sobre ele *todas as suas ansiedades*, porque *ele cuida de vocês.*
>
> 1Pedro 5.7

Ainda que o enfrentamento da ansiedade seja um tema complexo, que demanda atenção especial a aspectos psíquicos e somáticos, e não caberia aqui discuti-lo a fundo, é imprescindível que o cristão compreenda a importância de lançar todas as preocupações sobre nosso Deus cuidadoso e revisitar constantemente as promessas de seu amor leal. Além de nos fortalecer na fé, isso resultará também em noites tranquilas de sono e, consequentemente, benefícios para nossa saúde. Ou seja, trata-se do combo completo: descanso espiritual, emocional e físico.

## E a preguiça, não é condenada?

Por fim, muitos justificam a negligência quanto ao descanso como se fosse uma espécie de contraponto à preguiça. Eu mesmo já o fiz incontáveis vezes. Presumia que normalmente quem ataca a produtividade e a incansável determinação de nós, hiperativos, deveria ser o tipo de gente sossegada ao extremo, pessoas que eu julgava e classificava, em diferentes níveis, como acomodadas e *preguiçosas*.

O problema é que comumente transitamos entre os extremos: ou pensamos em termos de produtividade excessiva, sem respeito ao descanso, ou em termos de completa falta de reconhecimento de sua importância, o que pode nos levar a alimentar a negligência e a preguiça. E, vale destacar, é evidente que a Palavra de Deus também condena a preguiça:

Ó *preguiçoso*, até quando vai ficar deitado?
Quando se levantará do seu sono?
Um pouco de *sono*, um breve *cochilo*,
braços cruzados para *descansar*,
e a sua pobreza virá como um ladrão,
a miséria atacará como um homem armado.

Provérbios 6.9-11

A mensagem aqui não é de condenação ao sono, e sim ao cultivo da preguiça, ou seja, a falta de diligência na produtividade mascarada por uma necessidade legítima. Tais advertências se repetem na Bíblia, o que indica a transição do nível da mera *informação* para o da *ênfase*.

Não *ame o sono*, para que você não empobreça;
abra os olhos e você terá pão de sobra.

Provérbios 20.13

Ambos extremos serão danosos ao ser humano. A sabedoria se encontra no devido *equilíbrio* entre o reconhecimento dos dois tipos de valores bíblicos que nos são comunicados. É inquestionável que qualquer excesso é errado, seja a preguiça ou a negligência do descanso.

O mesmo, aliás, poderia ser dito a respeito do exercício físico, assunto de nosso próximo capítulo.

# 10

# EXERCÍCIO FÍSICO

Pois o exercício físico tem algum valor...

1TIMÓTEO 4.8

A princípio, alguém poderia estranhar a associação entre a prática de exercício físico e as verdades espirituais da Palavra de Deus. Será que a Bíblia de fato aborda o assunto?

A resposta é sim. Paulo, escrevendo a Timóteo, recomenda:

> Exercite-se, pessoalmente, na *piedade*. Pois o *exercício físico tem algum valor*, mas *a piedade tem valor para tudo*, porque tem a promessa da vida que agora é e da que há de vir.
>
> 1Timóteo 4.7b-8

A palavra grega traduzida por "exercício" é *gumnasia*, de onde procedem os termos "ginásio" e "academia".[1] Já a palavra traduzida por "físico", que define a natureza do exercício, é *sómatikos*, isto é, "corporal, corpóreo, aquilo que é pertinente ao corpo".[2] O apóstolo está se referindo aqui, portanto, ao *exercício corporal*, conforme traduzem a Almeida Revista e Corrigida, a Tradução Brasileira e outras versões mais antigas. Destaco isso porque

[1] Bible Hub, verbete *gumnasia*, G1129, <https://biblehub.com/greek/1129.htm>.
[2] Bible Hub, verbete *sómatikos*, G4984, <https://biblehub.com/greek/4984.htm>.

anteriormente ele havia encorajado seu discípulo a exercitar-se na piedade, o que revela que, além do aspecto físico, há outras formas de exercício.

Convém observar, no entanto, algumas verdades que por vezes passam despercebidas, em virtude das diferenças culturais entre aquele tempo e o nosso, afetando assim a devida compreensão do contexto.

## Tempos de sedentarismo

A primeira delas diz respeito às diferenças de *movimento corporal* diário praticado pelos povos antigos e os contemporâneos. Naquele tempo não havia meios de transporte como os atuais (por exemplo, bicicleta, diferentes tipos de automóveis, transportes públicos). Ou seja, o *sedentarismo*, que é definido como a falta, ausência ou diminuição de atividades físicas — um dos grandes males de nossa época — praticamente inexistia naquela época. Todos precisavam caminhar diariamente; além disso, realizavam trabalhos manuais, como o cultivo da terra (que envolvia limpar e arar o solo, plantar e colher sem os recursos tecnológicos que temos atualmente), a pesca, a construção das próprias casas, a confecção de roupas e móveis, e assim por diante.

A maioria das pessoas que, hoje, frequenta uma academia visa recuperar o movimento perdido em decorrência das facilidades da modernidade. Nos dias de Paulo, entretanto, não era assim. Ninguém frequentava o "ginásio" para meramente evitar o sedentarismo, mas sim para aumentar significativamente o volume de exercícios e seus resultados. Ou seja, esses eram os não sedentários que haviam sido influenciados pela cultura grego-romana do culto ao corpo e faziam questão de buscar definições musculares específicas. Os que não frequentavam o "ginásio", por sua vez, não eram pessoas cuja saúde corria risco por falta de movimentação básica. Hoje, o apelo ao resgate da prática de exercícios físicos, de modo geral, busca recuperar a movimentação saudável ao próprio corpo. Trata-se do que é classificado essencial para a saúde, e não necessariamente de "esculpir" o corpo, muito embora, em proporções menores, esse grupo ainda exista.

## O exercício físico tem valor

A segunda verdade que merece destaque diz respeito ao valor que atribuímos ao exercício físico. A frase "o exercício físico tem algum valor" foi traduzida, em outras versões, com ênfase no *proveito*. Frases como "o exercício físico para pouco é proveitoso" (ARA), "o exercício físico é de pouco proveito" (NVI) e "o exercício corporal para pouco é proveitoso" (TB) comprovam isso.

Reconheço que, por muitos anos, eu fazia uma leitura equivocada desse versículo. Onde está escrito *pouco* proveito eu lia *nenhum*. E é evidente que essa não é a mensagem bíblica. A palavra traduzida por "pouco proveito" ou "algum valor", no grego original, é *pros*, "em benefício de".[3] Quando ponderamos os elementos necessários a uma decisão, normalmente avaliamos os "prós" (o que é favorável, benéfico) e os "contras" (aquilo que é desfavorável ou até mesmo maléfico). É disso que o apóstolo falava. O exercício tem seus *prós*, aquilo que o torna favorável. Honestamente, não sei como eu conseguia interpretar que o exercício corporal não tinha nenhum proveito.

Essa avaliação de valor, no entanto, precisa se dar sob o prisma correto. A comparação do valor dos exercícios foi feita com algo que tem valor ainda maior: a *piedade*. A expressão "a piedade tem valor para tudo" indica isso. A palavra grega utilizada por Paulo é *óphelimos*, um adjetivo que poderia ser traduzido por "lucrativo".[4] Ou seja, em linguagem atual, a declaração seria mais ou menos a seguinte: "o exercício físico tem seus prós, mas a piedade é ainda mais valiosa". A ideia, no contraste apresentado, não é subtrair valor do exercício, e sim ampliar o valor da piedade.

E o que torna a piedade mais proveitosa? O argumento foi apresentado na sequência: "porque tem a promessa da vida que agora é e da que há de vir". Enquanto o exercício físico afeta apenas a vida terrena, a piedade, por sua vez, afeta tanto a vida terrena como a eterna (a vida que há de vir).

Resumindo, se o exercício físico tinha seus prós, mesmo para quem já não era sedentário e garantia a saúde física com o mínimo de movimento, a piedade é ainda mais proveitosa e requer tempo e dedicação. Devemos nos exercitar nela.

Cabe observar, porém, que o contraste feito com o exercício físico, cujo benefício é meramente terreno, não visa excluir o exercício corporal, mas sim garantir que o exercício da piedade também esteja lá. Outra ilustração do exercício físico foi usada por Paulo como pano de fundo para destacar a dedicação às coisas espirituais:

[3] Bible Hub, verbete *pros*, G4314, <https://biblehub.com/greek/4314.htm>

[4] Bible Hub, verbete *óphelimos*, G5624, <https://biblehub.com/greek/5624.htm>.

> Vocês não sabem que os que *correm no estádio*, todos, na verdade, correm, mas um só leva o prêmio? *Corram de tal maneira que ganhem o prêmio*. Todo *atleta* em tudo se domina; aqueles, para alcançar uma coroa corruptível; nós, porém, a incorruptível.
>
> 1Coríntios 9.24-25

Não estou insinuando que a Palavra de Deus esteja tentando nos converter em atletas de alta performance. Quero apenas destacar que o conceito de descanso, dedicação aos treinos e domínio próprio na alimentação já eram conhecidos e praticados naqueles dias e não seriam usados para ilustrar a dedicação às coisas espirituais se fossem algo ruim.

As Escrituras Sagradas não nos oferecem detalhes fisiológicos acerca da importância ou dos resultados dos exercícios; tão somente registram que há benefícios. E isso basta. Não temos textos bíblicos que detalham o processo de hidratação oriundo da ingestão de água, mas nenhum de nós questionaria quão essencial é essa prática alegando falta de detalhes do aspecto fisiológico na Bíblia. Devemos reconhecer que, no pacote da visão bíblica de cuidado do corpo, o exercício está incluso.

John Wesley, avivalista e fundador do metodismo, entendeu a importância do exercício físico, pôs seu entendimento em prática e também o ensinou a outros:

> Em 1714, quando tinha onze anos, João Wesley foi levado a Londres para estudar em Charterhouse, uma escola pública, onde era aluno interno. As dificuldades eram muitas, especialmente a falta de recursos para a boa alimentação do menino. Foi aí que o pai lhe recomendou que corresse todas as manhãs dando três voltas em torno dos jardins da escola, um percurso de cerca de três quilômetros. Essa prática de exercícios físicos, que Wesley nunca mais abandonou, acabou sendo responsável pela resistência física que tinha e, talvez, à luz da ciência de hoje, por sua longevidade. Quando tinha 80 anos, ele costumava andar até dez quilômetros para um local de pregação e ainda dizia que o único sinal de velhice que sentia era "não poder andar nem correr tão depressa como antes". Durante toda sua vida pastoral, Wesley não se cansou de recomendar exercícios físicos aos seus seguidores.[5]

[5] João Wesley Dornellas, *Pequena história do povo metodista* (Rio de Janeiro: Federação de Homens da Primeira Região Eclesiática, 2007), p. 10.

Em suas anotações do texto bíblico, Wesley comentou a afirmação de Paulo "o exercício físico tem algum valor" (1Tm 4.8) com a frase: "aumenta a saúde e a força do corpo".[6]

## Condicionamento físico

O conceito de condicionamento físico remonta a tempos ainda mais antigos. Atente para estas palavras de Deus ao profeta Jeremias: "se você se cansa correndo com homens que vão a pé, como poderá competir com os que vão a cavalo?" (Jr 12.5). O indicador aqui é claro: há níveis distintos de exercício e, relacionado à dedicação a eles, diferentes níveis de condicionamento físico. Quando comecei a fazer musculação, ficava com os músculos doloridos depois; mas, à medida que passei a me dedicar aos treinos, o corpo se habituou. O mesmo se deu com a prática dos exercícios cardiovasculares; migrei da falta de fôlego no início, do cansaço e da respiração ofegante em tempos e ritmos menores para um ritmo mais intenso e períodos maiores de exercícios que se tornaram fáceis. Não precisei de nenhuma revelação bíblica para saber disso; trata-se de um processo natural, normal.

Mas acho, no mínimo, interessante observar que a Palavra de Deus mencione esses fatos. Embora o propósito da Bíblia não seja detalhar essas informações na perspectiva fisiológica, ela de fato os registra. Em 1Samuel 4.12-14, lemos sobre um homem que fugiu do campo de batalha quando a arca de Deus foi tomada pelos filisteus; o texto destaca que ele correu e, no mesmo dia, chegou a Siló. Esse evento é considerado um dos mais antigos desafios de corrida no mundo (ocorreu entre os anos 1094 a 1036 a.C.), que antecede a própria maratona (originada de um ocorrido por volta de 490 a.C. e oficializada, no formato moderno, em 1896 d.C.) e tem distância de percurso similar. Hoje em dia é possível participar de uma maratona em Israel, feita nesse mesmo percurso.[7] Grandes distâncias podiam ser corridas em um só dia porque havia um contexto de vida não sedentária, de movimento do corpo.

O livro de Atos revela que Cornélio, o centurião romano, tendo recebido a visita de um anjo de Deus, mandou chamar Pedro em Jope. O apóstolo

[6] *Bíblia de Estudo John Wesley* (Barueri: Sociedade Bíblica do Brasil, 2020), p. 1510.
[7] Mais informações em <www.marathonisrael.co.il>.

então fez o trajeto até Cesareia Marítima em apenas dois dias (At 10.23-24). São cerca de sessenta quilômetros de distância! Isso significa que Pedro caminhou uma média de trinta quilômetros por dia. A maioria de nós, pregadores, não daria conta de manter esse ritmo de caminhada hoje. Observe outro detalhe registrado no mesmo livro:

> Um anjo do Senhor disse a Filipe:
>
> — Levante-se e vá para o Sul, no caminho que desce de Jerusalém a Gaza; este se acha deserto. Filipe se levantou e foi.
>
> Havia um etíope, eunuco, alto oficial de Candace, rainha dos etíopes, o qual era superintendente de todo o seu tesouro. Ele tinha vindo adorar em Jerusalém e estava regressando ao seu país. E, assentado *na sua carruagem*, vinha lendo o profeta Isaías. Então o Espírito disse a Filipe:
>
> — *Aproxime-se dessa carruagem e acompanhe-a.*
>
> *Correndo* para lá, Filipe ouviu que o homem estava lendo o profeta Isaías. Então perguntou:
>
> — O senhor entende o que está lendo?
>
> Ele respondeu:
>
> — Como poderei entender, se ninguém me explicar?
>
> E convidou Filipe a subir e sentar-se ao seu lado.
>
> Atos 8.26-31

Filipe, o evangelista, um dos sete primeiros diáconos estabelecidos na igreja de Jerusalém, recebeu clara orientação divina para ir ao caminho que descia de Jerusalém a Gaza. Tão logo obedeceu ao comando celestial, apareceu um etíope que viajava em uma carruagem. Quando o carro puxado por cavalos passou, Filipe foi direcionado pelo Espírito Santo a aproximar-se da carruagem e acompanhá-la; e ele o fez. Ele *correu* ao lado dela tempo suficiente para ouvir a leitura da Escritura (que se fazia em voz alta), oferecer ajuda na interpretação do texto e ser convidado a subir na carruagem. Quantos de nós, atualmente, teríamos condicionamento físico para tal tarefa? Penso que hoje a ordem divina teria de ser mais para algo assim: "entre na frente da carruagem e pare o veículo a fim de conseguir pregar".

Não estou dizendo que temos de voltar a fazer tudo a pé, sem usufruir dos benefícios da modernidade. Mas certamente temos ignorado como o Criador fez o corpo e quais são os princípios de seu funcionamento. O sedentarismo nunca foi parte do plano divino. A falta de mobilidade gera atrofia muscular. Isso significa que não fomos criados para permanecer parados. A baixa atividade física e muscular pode não trazer atrofia, mas, ainda assim, é nociva à saúde. É verdade que os discípulos de Jesus não são apresentados nas Escrituras como esportistas, mas apresentavam condicionamento físico que corresponde, em certa medida, aos que hoje denominamos corredores.

> No primeiro dia da semana, de madrugada, quando ainda estava escuro, Maria Madalena foi ao túmulo e viu que a pedra da entrada tinha sido removida. Então *correu* e foi até onde estavam Simão Pedro e o outro discípulo, a quem Jesus amava, e disse-lhes:
>
> — Tiraram o Senhor do túmulo, e não sabemos onde o colocaram.
>
> Com isso, Pedro e o outro discípulo saíram e foram até o túmulo. *Ambos corriam juntos*, mas o outro discípulo *correu mais depressa* do que *Pedro e chegou primeiro* ao túmulo.
>
> João 20.1-4

Esses exemplos bíblicos de condicionamento físico nos remetem, mais uma vez, ao fato de que Deus criou nosso corpo com uma estrutura que demanda o devido cuidado para que possa funcionar adequadamente, conforme os propósitos do Criador.

## Benefícios dos exercícios físicos

Um primeiro ponto a ser destacado, relacionado à maneira como Deus nos criou, é que sem a prática de exercícios comprometemos o tônus e a força muscular no longo prazo. Embora o sedentarismo não gere atrofia muscular — pelo menos não aquela completa que alguém plenamente privado de movimentos sofre — ainda assim nos rouba de uma mobilidade melhor no fim da vida.

O envelhecimento é inevitável. A diminuição da força e do vigor físicos da juventude também. Acerca disso a Palavra de Deus atesta:

> A glória dos jovens é a *sua força*,
> e a beleza dos velhos são os *seus cabelos brancos*.
>
> Provérbios 20.29

O contraste é evidente: a força dos jovens de um lado e os cabelos brancos dos velhos do outro. Mas essa diferença não precisa ser tão drástica como a que constatamos na vida dos que não se exercitam. É possível ter uma velhice saudável, cheia de vigor e mobilidade. Um exemplo disso é Calebe, um dos doze espias enviados por Moisés à terra de Canaã. A geração que saiu do Egito havia chegado ao limiar da terra prometida, mas acabou retornando ao deserto, onde, sob juízo divino, perambulou por quarenta anos. O Senhor, contudo, prometeu que Josué e Calebe entrariam na terra. Posteriormente, no momento da divisão da terra entre as tribos de Israel, a conversa entre os dois revelaria um Calebe que, ainda na velhice, se conservava forte e com disposição física para a guerra:

> Os filhos de Judá chegaram a Josué em Gilgal. E Calebe, filho de Jefoné, o quenezeu, lhe disse:
>
> — Você sabe o que o SENHOR falou a Moisés, homem de Deus, em Cades-Barneia, a respeito de mim e de você. Eu tinha quarenta anos quando Moisés, servo do SENHOR, me enviou de Cades-Barneia para espiar a terra. E eu lhe relatei o que estava no meu coração. Os meus irmãos que tinham ido comigo amedrontaram o povo, mas eu perseverei em seguir o SENHOR, meu Deus. Então Moisés, naquele dia, jurou, dizendo: "Certamente a terra em que você pôs o pé será sua e de seus filhos, em herança perpétua, pois você perseverou em seguir o SENHOR, meu Deus."
>
> — E, agora, eis que o SENHOR me conservou com vida, como prometeu. Quarenta e cinco anos se passaram desde que o SENHOR falou essas palavras a Moisés, quando Israel ainda andava no deserto; e, agora, eis que *estou com oitenta e cinco anos*. Estou tão forte hoje como no dia em que Moisés me enviou. *A força que eu tinha naquele dia eu ainda tenho agora*, tanto para combater na guerra como para fazer o que for necessário. Dê-me agora este monte de que o SENHOR falou naquele dia, pois, naquele dia, você ouviu que lá estavam os anaquins, morando em cidades grandes e fortificadas. Se o SENHOR Deus estiver comigo, poderei expulsá-los, como ele mesmo prometeu.
>
> Josué o abençoou e deu a cidade de Hebrom a Calebe, filho de Jefoné, para ser a herança dele.
>
> Josué 14.6-13

Não podemos apenas espiritualizar esse evento e atribui-lo exclusivamente a Deus, que fizera a promessa. Pessoas que se mantêm fisicamente ativas ao longo da vida terão mais mobilidade, vigor e disposição na velhice e evitarão o sofrimento e arrependimento que os que negligenciam os exercícios acabam experimentando.

Os benefícios da atividade física são diversos, mas quero enfatizar alguns.

### *Saúde cerebral*

Além da importância comprovada dos exercícios para a estrutura muscular e para o sistema cardiovascular, as descobertas científicas indicam efeitos positivos na *saúde cerebral*. Isso mesmo. Há um impacto neurológico extremamente benéfico gerado pelo exercício físico.

O médico neurologista David Perlmutter, autor do livro *A dieta da mente*, assegura que "nada poderia ter um impacto mais positivo na saúde e no funcionamento do cérebro que o bom e velho exercício".[8] Ao comentar sobre a neurogênese (processo de criação de novos neurônios), ele destaca a importância, entre outros fatores, do exercício físico:

> A pergunta que não quer calar: é possível criar novos neurônios cerebrais? Em outras palavras, o que influencia a neurogênese? E o que podemos fazer para estimular esse processo natural?
>
> Esse processo, como seria de esperar, é controlado pelo nosso DNA. Especificamente, um gene localizado no cromossomo 11 que tem o código da produção de uma proteína chamada "fator neurotrófico derivado do cérebro", ou BDNF. O BDNF desempenha um papel fundamental na criação de novos neurônios. Mas além de seu papel na neurogênese, o BDNF protege os neurônios existentes, garantindo sua capacidade de sobrevivência ao mesmo tempo em que estimula a formação de sinapses, a conexão de um neurônio ao outro — processo vital para o raciocínio, o aprendizado e níveis mais altos de funcionamento cerebral. Na verdade, pesquisas mostram níveis inferiores de BDNF em pacientes de Alzheimer, o que, considerando o que se sabe sobre o funcionamento do BDNF, não é motivo de surpresa. [...]
>
> Pesquisadores da Universidade de Boston descobriram que, em um grupo de mais de 2.100 idosos acompanhados durante dez anos, 140 desenvolveram demência. Aqueles com níveis mais elevados de BDNF no sangue tinham

[8] David Perlmutter, *A dieta da mente: Descubra os assassinos silencioso do seu cérebro* (São Paulo: Paralela, 2020), p. 258.

menos da metade do risco de demência, se comparados com os que possuíam níveis mais baixos de BDNF. Comparando-se aqueles que tinham o nível de BDNF mais baixo no início do estudo com os que tinham o nível mais alto, os idosos na faixa superior do BDNF tinham um risco até 50% menor de desenvolver demência. A correlação entre BDNF e Alzheimer é tão poderosa que é vista hoje em dia como um "biomarcador" capaz de prever a capacidade da pessoa de resistir ao declínio cognitivo do Alzheimer. Os níveis de BDNF não estão apenas relacionados ao Alzheimer; estão associados a uma série de condições neurológicas, inclusive a epilepsia, a anorexia nervosa, a depressão, a esquizofrenia e o transtorno obsessivo-compulsivo. Pesquisas mais recentes mostraram até mesmo que níveis reduzidos em mulheres podem ser sinônimo de um risco maior de suicídio.

Agora temos uma compreensão firme dos fatores que fazem nosso DNA produzir BDNF. E felizmente esses fatores estão, na maioria, sob nosso controle direto. O gene que aciona o BDNF é ativado por uma série de hábitos pessoais, que incluem exercícios físicos, restrição calórica, uma dieta cetogênica e o acréscimo de certos nutrientes, como a curcumina e o DHA, uma gordura ômega 3. [...]

De fato, o exercício físico é como um botão que liga a produção de BDNF, além de uma das maneiras mais poderosas de alterar seus genes. Em termos simples, quando se exercita, você literalmente treina seus genes. Exercícios aeróbicos, em especial, não apenas ativam seus genes relacionados à longevidade, mas também estimulam o BDNF, o "hormônio de crescimento" do cérebro. Mais especificamente, descobriu-se que os exercícios aeróbicos aumentam o BDNF, revertem o declínio da memória nos idosos e, além disso, aumentam o surgimento de novas células no centro de memória do cérebro. O exercício não serve apenas para ter uma aparência esbelta e um coração forte; talvez seu efeito mais poderoso passe a maior parte do tempo despercebido no andar de cima, onde nosso cérebro habita.[9]

O neurologista ainda pontua as formas *direta* e *indireta* que os exercícios físicos têm de beneficiar o cérebro:

São, em termos gerais, duas as maneiras como o exercício beneficia o cérebro (e o corpo, para ser mais exato). Diretamente, o exercício reduz a resistência à insulina e os processos inflamatórios, ao mesmo tempo que estimula a liberação de fatores de crescimento. Esses fatores de crescimento, entre eles o BDNF,

[9] Ibid., p. 178-180.

afetam a saúde dos neurônios, o crescimento de novos vasos sanguíneos no cérebro e até mesmo a abundância e sobrevivência de novos neurônios. Indiretamente, o exercício também turbina o cérebro, reduzindo o estresse e a ansiedade e melhorando o sono e o humor.[10]

## *Saúde hormonal*

Úrsula Neves, em artigo intitulado "O que acontece no corpo quando fazemos exercício físico?", resume a relação entre a atividade física e a produção hormonal:

> Uma série de hormônios é secretada durante e após uma sessão de exercícios físicos, quando glândulas e outras partes do corpo são estimuladas a produzir alguns hormônios importantes, entre os quais:
>
> *Irisina* – Conhecida como o hormônio do esporte, é produzida pelos músculos e promove gasto energético e metabolismo de gordura;
>
> *GH* – Hormônio do crescimento, que promove o aumento dos tecidos e fibra muscular e uma maior queima de gordura, também é produzido pela hipófise, no cérebro;
>
> *Endorfina* – Hormônio do bem-estar e relaxamento, é produzida pela hipófise, no cérebro;
>
> *Dopamina* – Neurotransmissor ligado à comunicação das células nervosas, ao prazer e à coordenação motora, é sintetizada pelos neurônios dopaminérgicos no cérebro (na área da substância negra) e, principalmente, no intestino.
>
> *Serotonina* – O hormônio da felicidade, que melhora humor e memória, tem sua produção pelos neurônios serotoninérgicos no sistema nervoso central (cérebro e medula) e no intestino;
>
> *Glucagon* – Secretado pelo pâncreas, evita episódios de hipoglicemia durante o exercício;
>
> *Adrenalina* – Aumenta a frequência cardíaca e deixa o cérebro mais alerta, sendo produzida pelas glândulas suprarrenais, que ficam logo acima dos rins;
>
> *Cortisol* – Contribui para o controle do estresse e a redução da inflamação, e também é secretado pelas suprarrenais.
>
> Vamos entender melhor?
>
> No início, ocorre uma inibição da secreção de insulina em contraponto com a elevação do glucagon — hormônio produzido pelo corpo que possui

[10] Ibid.

um efeito oposto ao da insulina, ou seja, aumenta o açúcar no sangue, evitando a hipoglicemia;

Vinte minutos de exercícios já são suficientes para sentir os primeiros efeitos da dopamina, que é um dos neurotransmissores causadores da sensação de bem-estar e de prazer do exercício, ajudando também na transmissão neural e, consequentemente, no controle motor durante o movimento;

Uma maior quantidade de hormônios é liberada pelas suprarrenais durante o exercício mais vigoroso, permitindo maior disponibilidade de glicose e ácidos graxos (gordura) para serem utilizados como substratos durante e após o exercício. Dependendo da intensidade do exercício, o corpo até pode utilizar a gordura circulante, mas geralmente prioriza a glicose como principal substrato por ter metabolização mais rápida;

Entretanto, os efeitos do exercício no controle do peso corporal não estão diretamente associados à utilização de gordura durante sua execução, mas prioritariamente em sua resposta crônica, somado às alterações metabólicas no pós-exercício, que podem permanecer por horas;

Um bom exemplo disso são as mudanças ocasionadas pela prática regular do treinamento físico na transferência da gordura branca para gordura marrom induzida por uma miocina secretada durante o exercício: a irisina, conhecida como o hormônio do esporte, e que possui diversos efeitos benéficos ao corpo.

A irisina estimula a biogênese mitocondrial nas células de gordura, aumentando o gasto energético pela indução de calor (termogênese) e estimulando o metabolismo de gordura; atuando nos neurônios cerebrais ajudando a fixação da memória e, consequentemente, auxiliando na prevenção de doenças, como o Alzheimer; ajudando a reduzir a resistência a insulina retardando a possibilidade do aparecimento do diabetes, além de contribuindo no controle de peso corporal, como esclarece Ronaldo Barros.

Durante o exercício, o encéfalo (cérebro) produz muito mais neurotransmissores como endorfina, dopamina e serotonina. Esses neurotransmissores são conhecidos como os hormônios da felicidade. E essa sensação boa persiste, porque é justamente após o exercício que temos uma descarga desses hormônios ainda mais elevada que nos traz uma importante sensação de prazer e relaxamento.[11]

[11] Úrsula Neves, " O que acontece no corpo quando fazemos exercício físico?", *EU Atleta*, 13 de janeiro de 2023, <https://ge.globo.com/eu-atleta/saude/reportagem/2023/01/13/c-o-que-acontece-no-corpo-quando-fazemos-exercicio-fisico.ghtml>.

### *Saúde cardiorrespiratória*

Um relatório especial de saúde, produzido pela Escola de Medicina de Harvard, intitulado "Manual de exercícios físicos", aponta que:

- O exercício regular diminui o risco de doença cardíaca, a doença de maior risco entre os americanos. Ele faz isso de várias maneiras, como ajudando a prevenir o acúmulo de placas ao atingir um equilíbrio mais saudável de lipídios no sangue (HDL, LDL e triglicerídeos) e ajudando as artérias a manterem a resiliência, apesar dos efeitos do envelhecimento. Mesmo que você já tenha uma doença cardíaca, o exercício diminui suas chances de morrer por causa dela.
- O exercício reduz a pressão arterial, um benefício que favorece muitos dos seus sistemas corporais. A pressão alta de longo prazo (hipertensão) dobra ou triplica as chances de desenvolver insuficiência cardíaca e muitas vezes abre caminho para outros tipos de doença cardíaca, AVC, aneurisma da aorta e doença ou insuficiência renal.[12]

A melhora da aptidão cardiorrespiratória, o chamado condicionamento aeróbico, está relacionado ao aumento da longevidade e da qualidade de vida. Úrsula Neves, no artigo já citado, esclarece:

> Os músculos necessitam de mais oxigênio e mais nutrientes durante o exercício, sendo os sistemas cardiovascular e respiratório responsáveis por fornecê-los. Assim:
>
> 1. A frequência cardíaca e o débito cardíaco aumentam, o que leva a um aumento do fluxo sanguíneo para os músculos, especialmente para os que estão sendo mais utilizados;
> 2. O fluxo sanguíneo também aumenta para a pele e o cérebro, enquanto diminui para o sistema gastrointestinal;
> 3. A pressão arterial, especialmente a pressão sistólica, se eleva;
> 4. Os pulmões respondem aumentando a ventilação pulmonar quase imediatamente, principalmente através da estimulação dos centros respiratórios do tronco cerebral;
> 5. As respostas cardiovasculares e respiratórias ao exercício resistido, como a musculação, são em sua maioria semelhantes ao exercício aeróbico.
>
> Uma exceção notável é quando fazemos exercícios contra resistência, geralmente realizados com a utilização de pesos.

[12] Harvard Health Publishing, *Manual de exercícios físicos: Dez treinos completos para ajudá-lo a ficar em forma e saudável* (Boston: Harvard Health Publishing, 2020), p. 1.

Neste caso, há um aumento mais significativo na pressão arterial, o que pode ser explicado pelo fato do exercício resistido levar à compressão das artérias menores e resultar em aumentos mais substanciais na resistência arterial periférica, porém sem aumento significativo no risco de eventos cardiovasculares em hipertensos. Cronicamente, o coração se hipertrofia, a frequência cardíaca diminui, as artérias se dilatam, a pressão arterial diminui, ou seja, o sistema cardiovascular aumenta a capacidade de "bombear" mais sangue e entregar mais oxigênio e nutrientes, gastando menos energia. Obviamente, variáveis como o tipo de exercício físico, a intensidade, a duração e o grau de treinamento físico prévio fazem diferença [...].

Assim que o treino termina, o corpo tenta retomar o quanto antes ao seu estado natural de repouso, baixando a quantidade de trabalho das suas engrenagens. E agora acontece o processo completamente inverso do realizado no início do exercício: todos os ajustes que foram rapidamente realizados no início agora são novamente rapidamente desativados. Assim, as frequências respiratória e cardíaca voltam à sua normalidade. É comum ainda suarmos mesmo depois da sessão de exercícios, pois a regulação da temperatura funciona mais lentamente.[13]

## *Outros benefícios*

A prática dos exercícios físicos pode, comprovadamente, aumentar seus anos de vida. Em um estudo do National Institutes of Health com mais de 650.000 adultos, foram analisados os efeitos de fazer (ou não) o mínimo recomendado de 150 minutos por semana de atividade moderada ou 75 minutos de exercício vigoroso. Descobriu-se que as pessoas que fizeram apenas metade dessa quantidade viveram em média 1,8 anos a mais. Os que atingiram o nível recomendado somaram 3,4 anos. Aqueles que fizeram o dobro do recomendado somaram 4,2 anos.[14]

Devemos pensar, entretanto, como já foi dito, não somente em acrescentar anos à nossa vida, mas também vida a nossos anos. A atividade física nos proporcionará uma melhor qualidade de vida independentemente da duração dela. Ou seja, não se trata apenas de viver mais; trata-se também de viver melhor.

Em manual de diretrizes para atividade física e comportamento sedentário, a Organização Mundial da Saúde aponta que "quatro a cinco milhões

[13] Neves, "O que acontece no corpo quando fazemos exercício físico?".
[14] Harvard Health Publishing, *Manual de exercícios físicos*, p. 1.

de mortes por ano poderiam ser evitadas se a população global fosse mais ativa fisicamente".[15] Não podemos ignorar esses fatos!

Mas, além dos malefícios a serem evitados, devemos ressaltar os benefícios provenientes da atividade física. O "Manual de exercícios físicos" da Escola de Medicina da Harvard destaca os seguintes benefícios (além dos cardiorrespiratórios já citados) que os exercícios proporcionam à saúde:

- O exercício pode ajudar a prevenir o diabetes reduzindo o excesso de peso, diminuindo modestamente os níveis de açúcar no sangue e aumentando a sensibilidade à insulina para que o seu corpo precise menos dela. Se você já tem diabetes, o exercício ajuda a controlar o açúcar no sangue.
- O exercício reduz o risco de desenvolver câncer de cólon, mama, endométrio (revestimento uterino), estômago, pulmão e possivelmente próstata. Ao ajudá-lo a manter um peso saudável, o exercício também diminui o risco de outros cânceres nos quais a obesidade é um fator.
- O exercício ajuda a fortalecer os ossos, que atingem o pico de densidade e força durante as primeiras três décadas de vida. Com o tempo, os ossos tornam-se mais fracos e mais porosos à medida que sua densidade diminui. Exercícios de sustentação de peso, quando combinados com cálcio, vitamina D e medicamentos para a preservação dos ossos, se necessário, ajudam a evitar a perda óssea.
- O exercício ajuda a proteger as articulações, aliviando o inchaço, a dor e a fadiga e mantendo a cartilagem saudável. Músculos fortes sustentam as articulações e aliviam a carga sobre elas.
- O exercício pode limitar ou até mesmo reverter a dor no joelho ou no quadril, ajudando a controlar o peso — um grande problema, já que cada quilo adicionado multiplica o estresse no joelho por quatro.
- O exercício pode elevar o seu ânimo, liberando neurotransmissores que melhoram o humor, aliviando o estresse e promovendo uma sensação de bem-estar. Em alguns estudos, o exercício regular aliviou a depressão leve à moderada de forma tão eficaz quanto os medicamentos. Combinar exercícios com medicamentos e terapia é ainda melhor.
- O exercício reduz a insônia e melhora a qualidade do sono. O exercício é a única maneira comprovada de aumentar a quantidade de tempo que você

[15] Edina Maria Camargo e Ciro Romelio Rodriguez Añez, "Diretrizes para atividade física e comportamento sedentário: num piscar de olhos", Organização Mundial da Saúde, 2020, <https://ws.santabarbara.sp.gov.br/instar/esportes/downloads/guia_AF_OMS.pdf>.

passa em sono profundo, o qual restaura particularmente sua energia. Além disso, o sono adequado reduz os riscos de desenvolver doenças cardíacas, diabetes e até demência.

- O exercício pode melhorar a apneia obstrutiva do sono. Em uma análise de cinco estudos, programas de exercícios estruturados ajudaram a reduzir a gravidade da apneia do sono em 35% e a sonolência diurna em 28%, mesmo na ausência de perda de peso significativa.
- O exercício pode ajudá-lo a evitar infecções. Em uma análise de quatro estudos controlados randomizados, as pessoas que se exercitavam em intensidade moderada cinco ou mais dias por semana, por 8 a 16 semanas, tinham 27% menos chances de contrair resfriados. E se ficassem resfriados, se recuperavam de três a quatro dias mais rápido do que os que não se exercitavam. Pesquisas adicionais mostram que o exercício provoca um aumento modesto e de curto prazo nas células natural killer e nos glóbulos brancos, que ajudam a suprimir a infecção.
- O exercício pode até ajudar seu cérebro a funcionar melhor.
- Combine todos esses benefícios e você verá que o exercício é indispensável quando o assunto é saúde.[16]

## Qual a frequência ideal de exercícios?

Segundo a Organização Mundial de Saúde, "estimativas globais indicam que 27,5% dos adultos e 81% dos adolescentes não atendem às recomendações da OMS de 2010 para atividade física, com quase nenhuma melhora observada durante a última década". Enfatiza, ainda, que "qualquer atividade é melhor que nenhuma", mas apresenta as recomendações para a frequência de exercícios:

1. *Crianças e adolescentes* devem fazer pelo menos uma média de 60 minutos por dia de atividade física de moderada a vigorosa intensidade, ao longo da semana, a maior parte dessa atividade física deve ser aeróbica. Atividades aeróbicas de moderada a vigorosa intensidade, assim como aquelas que fortalecem os músculos e ossos devem ser incorporadas em pelo menos 3 dias na semana.
2. *Adultos* devem realizar pelo menos 150 a 300 minutos de atividade física aeróbica de moderada intensidade na semana; ou pelo menos 75 a 150 minutos

[16] Harvard Health Publishing, *Manual de exercícios físicos*, p. 2-3.

de atividade física aeróbica de vigorosa intensidade; ou uma combinação equivalente de atividade física de moderada e vigorosa intensidade. Adultos devem realizar também atividades de fortalecimento muscular de moderada intensidade ou maior que envolvam os principais grupos musculares dois ou mais dias por semana pois estes proporcionam benefícios adicionais à saúde. Adultos podem aumentar a atividade física aeróbica de moderada intensidade para mais de 300 minutos; ou realizar mais de 150 minutos de atividade física aeróbica de vigorosa intensidade; ou uma combinação equivalente de atividades físicas de moderada e vigorosa intensidade ao longo da semana para benefícios adicionais à saúde.

3. *Idosos* devem realizar pelo menos 150 a 300 minutos de atividade física aeróbica de moderada intensidade; ou pelo menos 75 a 150 minutos de atividade física aeróbica de vigorosa intensidade; ou uma combinação equivalente de atividades físicas de moderada e vigorosa intensidade ao longo da semana para benefícios substanciais à saúde. Idosos devem também fazer atividades de fortalecimento muscular de moderada intensidade ou maior que envolvam os principais grupos musculares em dois ou mais dias da semana, pois estas proporcionam benefícios adicionais para a saúde. Como parte da atividade física semanal, idosos devem realizar atividades físicas multicomponentes que enfatizem o equilíbrio funcional e o treinamento de força com moderada intensidade ou maior, em 3 ou mais dias da semana, para aumentar a capacidade funcional e prevenir quedas. Idosos podem aumentar a atividade física aeróbica de moderada intensidade para mais de 300 minutos; ou fazer mais de 150 minutos de atividade física aeróbica de vigorosa intensidade; ou uma combinação equivalente de atividades físicas de moderada e vigorosa intensidade ao longo da semana para benefícios adicionais à saúde.
4. *Mulheres grávidas e no pós-parto,* sem contraindicações, devem: praticar atividade física regular durante a gravidez e no pós-parto. Fazer pelo menos 150 minutos de atividade física aeróbica de moderada intensidade ao longo da semana para benefícios substanciais à saúde. Incorporar uma variedade de atividades aeróbicas e de fortalecimento muscular. Adicionar alongamento leve também pode ser benéfico. Mulheres que antes da gravidez, estavam habitualmente engajadas em atividades aeróbicas de vigorosa intensidade, ou aquelas que eram fisicamente ativas, podem continuar essas atividades durante a gravidez e no pós-parto.[17]

[17] Camargo e Añez, "Diretrizes para atividade física e comportamento sedentário: num piscar de olhos".

Para aqueles que iniciarão suas atividades físicas, saindo do sedentarismo, vale destacar a importância de um começo com ritmo mais lento e que progrida gradualmente à medida que o corpo se habitua ao novo ritmo. Orientação e acompanhamento de profissionais da área também são fundamentais para a prática correta de exercícios.

## Invista no seu futuro

Quando falamos de saúde a meta é buscar o alvo da "robusta velhice" (Jó 5.26). Isso envolve não apenas alcançar "mais anos de vida" como também conseguir ter "mais vida em nossos anos". Os exercícios físicos terão, assim como no caso de uma alimentação correta e descanso adequado, grande influência na qualidade de vida de nossa velhice. É sábio ser previdente e garantir reservas econômicas para a velhice; ninguém discute isso. Mas por que não estamos investindo na saúde futura?O envelhecimento é inevitável, assim como muitas de suas consequências. Porém, o impacto que ele terá sobre cada um de nós depende muito de como lidamos com nosso corpo ao longo da vida. Observe a orientação bíblica:

> Alegre-se, jovem, na sua *mocidade*, e que o seu coração lhe dê muita alegria nos dias da sua *juventude*. Ande nos caminhos que satisfazem ao seu coração e agradam aos seus olhos; saiba, porém, que de todas estas coisas Deus lhe pedirá contas. Afaste do seu coração a mágoa *e remova de seu corpo a dor*, porque a juventude e a primavera da vida são vaidade. Lembre-se do seu Criador nos dias da sua mocidade, antes que venham os dias maus, e cheguem os anos em que você dirá: "Não tenho neles prazer."
>
> Eclesiastes 11.9 —12.1

O texto bíblico fala da importância das escolhas da juventude, denominada "primavera da vida" (a fase bela e florida que em breve termina), e destaca a chegada dos "dias maus". O que são esses dias maus? Definidos pelo reconhecimento de "não tenho neles prazer" (Ec 12.1), os versículos seguintes descrevem os declínios da velhice até a morte (Ec 12.2-7). As escolhas corretas, do investimento no futuro, envolvem o ser humano integral: espírito, alma e corpo. Lembrar-se do Criador sinaliza os cuidados com a vida espiritual. Afastar do coração a mágoa (Ec 11.9) diz respeito a saúde emocional. Porém, qual é o significado de "remova de seu corpo a dor" (Ec 11.9)?

Evidentemente, não se trata da ingestão de analgésicos... Há certos cuidados tomados ao longo da vida que nos pouparão de dores desnecessárias na velhice. E a prática de atividade física certamente é uma delas!

> A cada dia, envelhecemos mais um pouco. Todos nós. Ninguém está imune a essa realidade. Porém, as escolhas que fazemos com base no conhecimento de que dispomos determinarão em grande medida a qualidade e a trajetória da nossa vida, agora e no futuro. [...] Envelhecer não significa que o condicionamento físico tenha que se deteriorar. Pelo contrário: precisamos trabalhar de forma mais inteligente e com mais determinação e foco para nos mantermos sempre fortes.[18]

O consenso entre a orientação bíblica e milenar é claro. Podemos aplacar os efeitos do envelhecimento com escolhas de um estilo de vida saudável. E isso envolve, necessariamente, a prática de atividade física.

## Diferentes aspectos do condicionamento físico

Utilizei ao longo do capítulo, de modo alternado, as palavras "atividade física" e "exercício" para englobar dois aspectos distintos do combate ao sedentarismo. Vale, porém, entender a distinção das expressões. O "Guia de atividade física para a população brasileira", publicação do Ministério da Saúde, esclarece:

> A atividade física é importante para o pleno desenvolvimento humano e deve ser praticada em todas as fases da vida e em diversos momentos, como ao se deslocar de um lugar para outro, durante o trabalho ou estudo, ao realizar tarefas domésticas ou durante o tempo livre. Os exercícios físicos também são exemplos de atividades físicas, mas se diferenciam por serem atividades planejadas, estruturadas e repetitivas com o objetivo de melhorar ou manter as capacidades físicas e o peso adequado, além de serem prescritos por profissionais de educação física. Todo exercício físico é uma atividade física, mas nem toda atividade física é um exercício físico![19]

[18] Gabrielle Lyon,.A revolução dos músculos: Uma nova estratégia científica para envelhecer bem (Rio de Janeiro: Intrínseca, 2024), p. 65-66.

[19] Ministério da Saúde, *Guia de atividade física para a população brasileira* (Brasília: Ministério da Saúde, 2021), <https://bvsms.saude.gov.br/bvs/publicacoes/guia_atividade_fisica_populacao_brasileira.pdf>.

O "Manual de exercícios físicos" da Escola de Medicina da Harvard também ressalta as distinções entre atividade física e exercício:

> Embora as palavras "exercício" e "atividade física" sejam frequentemente trocadas, elas não são intercambiáveis. Atividade física refere-se a qualquer movimento que você faz que desencadeia contrações musculares e um aumento no metabolismo. Isso pode incluir atividades cotidianas, como tarefas domésticas ou no quintal da casa. Todas as atividades físicas são benéficas, mas o exercício é um programa estruturado de atividade para ajudá-lo a se tornar fisicamente apto.[20]

O manual de Harvard apresenta ainda *aspectos distintos* do condicionamento físico:

> A aptidão física geral exige vários tipos de atividades. Geralmente, os especialistas recomendam uma combinação de atividades aeróbicas e exercícios de força, flexibilidade e equilíbrio. Os exercícios que promovem o relaxamento geralmente recebem pouca atenção, embora não devam, pois podem ajudá-lo a lidar com o estresse que prejudica a saúde.[21]

Segue um resumo da definição de cada uma das cinco áreas destacadas no manual de Harvard:

1. *Atividades aeróbicas.* Essas atividades, voltadas à queima de calorias e redução da gordura forçam os músculos grandes a se contraírem e relaxarem repetidamente, promovendo um aumento temporário da frequência cardíaca e respiração, permitindo que mais oxigênio chegue aos músculos, e aumentando a resistência cardiovascular. Algumas dessas atividades são: caminhada, andar de bicicleta (ou *spinning*), corrida e natação. Preciso adicionar a essa lista o elíptico (meu cardio predileto).
2. *Exercícios de força.* O treino de força ou resistência (que usa aparelhos de musculação, pesos livres e faixas ou tubos de resistência) protege contra a perda óssea e constrói músculos — ato conhecido como hipertrofia muscular. O treinamento de força ocorre sempre que seus músculos enfrentam uma força contrária mais forte do que o normal. Subdivide-se em *ações isotônicas* e *isométricas*. A primeira estimula os músculos a encurtar ou alongar para mover a articulação anexa através da sua amplitude de movimento.

[20] Harvard Health Publishing, *Manual de exercícios físicos*, p. 7.
[21] Ibid.

A segunda força os músculos a trabalhar contra uma resistência fixa, de modo que não ocorre encurtamento ou alongamento. Basicamente, não há movimento muscular; apenas contração.

3. *Flexibilidade.* Exercícios de flexibilidade como alongamento e pilates revertem o encurtamento e o enfraquecimento dos músculos, comuns ao avanço da idade. Fibras musculares mais curtas e rígidas podem torná-los vulneráveis a lesões. A falta de flexibilidade também pode contribuir para problemas de equilíbrio. Por outro lado, a prática frequente de exercícios que isolam e alongam as fibras elásticas ao redor dos músculos e tendões ajuda a neutralizar esse declínio. Incentivar o fluxo sanguíneo para os músculos os torna mais flexíveis. E um músculo bem alongado atinge mais facilmente toda a sua amplitude de movimento, o que melhora o desempenho atlético.
4. *Equilíbrio.* Melhoram a estabilidade, que tende a reduzir com a idade. Eles oferecem uma excelente defesa contra quedas, que podem ser muito mais perigosas do que você imagina. O equilíbrio geralmente piora com o tempo, comprometido por condições médicas, medicamentos, alterações na visão e falta de flexibilidade. Entre as atividades que melhoram o equilíbrio estão o pilates, afundo e elevação do calcanhar.
5. *Relaxamento.* Esses não compõem a maioria dos programas de condicionamento físico. No entanto, a redução do estresse aumenta a qualidade de vida e a saúde. Algumas disciplinas, como pilates, por exemplo, combinam movimentos de liberação de tensão com foco mental e meditação. Até mesmo caminhar pode ser uma prática meditativa. O alongamento também libera a tensão muscular e promove a calma interior.[22]

Cabe ressaltar que nós, cristãos que nos dedicamos à meditação nas Escrituras, à oração, à contemplação e à adoração, não julgamos os exercícios de relaxamento tão necessários. Não apenas por causa daquilo que já praticamos em nossa expressão de fé, mas, também, em alguns casos, pela divergência de crença com alguns formatos em que esse tipo de exercícios são aplicados por determinados grupos. A ideia, portanto, é reproduzir a classificação do relatório da conceituada Escola de Medicina de Harvard, não dar pleno aval a todos os formatos que normalmente executam esse tipo de exercício.

De todo modo, a fim de ajustar os hábitos e a rotina para pôr em prática tudo o que temos visto até aqui, dois elementos se farão fundamentais: a convicção e a constância. É o que veremos a seguir.

[22] Ibid., p. 7-10.

# 11

# CONVICÇÃO E CONSTÂNCIA

> Peça-a, porém, com fé, em nada duvidando, pois o que duvida é semelhante à onda do mar, impelida e agitada pelo vento. Que uma pessoa dessas não pense que alcançará do Senhor alguma coisa, sendo indecisa e inconstante em todos os seus caminhos.
>
> TIAGO 1.6-8

Apresentei, no primeiro capítulo, a necessidade de mudança de mentalidade como um requisito para alcançar a mudança comportamental. A partir de então ofereci, de forma progressiva e complementar, embasamento bíblico para uma nova forma de pensar, crer e agir. Iniciei essa construção com o confronto à espiritualidade exagerada, abordei a responsabilidade humana na duração de nossa vida (através de nossas escolhas) e expus a resposta que devemos à redenção divina: a boa mordomia do corpo. Falei também acerca da sobrecarga de peso, alimentação (e a abstinência dela, por meio do jejum), exercício físico e descanso.

A pergunta prática é: Diante de tudo o que foi ensinado, como proceder de modo a reformular nossa conduta? A mudança de mentalidade é um processo e requererá mais do que a leitura deste livro. Nestes dois capítulos finais quero oferecer um auxílio pragmático para a mudança de comportamento e compartilhar o que Deus me instruiu ao longo desse processo que vivenciei nos últimos quinze anos.

Passei por várias oscilações de comportamento — e de peso — em minha jornada de descoberta e aplicação dessas verdades acerca do cuidado do corpo. E é exatamente o que acontece com a maioria das pessoas que, seja qual for a área, passa por algum tipo de mudança. Foram comportamentos diferentes em épocas distintas, e atualmente, refletindo acerca deles, enxergo alguns detalhes importantes que podem ser de grande valia àqueles que necessitam de ajustes em sua vida. Trata-se dos princípios bíblicos relacionados com *convicção* e *constância*. Para simplificar, vou dividir minha história em duas fases distintas.

A *primeira fase* envolve a etapa anterior às experiências que descrevo aqui. Diz respeito ao início de minha fase adulta, quando comecei a ganhar peso e, na época, não me importava com isso. Como compartilhei no início do livro, eu não mensurava nenhuma consequência futura, espiritualizava o que não deveria e não dava ouvidos a quem quer que tentasse me ajudar com conselhos sobre o cuidado do corpo. Ainda nessa época, quando ultrapassei os limites de peso, dei início a algumas dietas. Quer fossem elas bem-sucedidas, quer não, na questão da perda de peso, eu rapidamente esquecia o que havia me motivado a começá-las até que algo me despertasse novamente para outra tentativa que, por sua vez, também não teria continuidade. Foi uma época de *baixa convicção* sobre os princípios bíblicos aqui abordados e *quase nenhuma constância*.

Depois veio a *segunda fase*, quando, chocado pela constatação de uma saúde que já dava sinais de comprometimento e tendo já passado a chamada "idade da imortalidade" (quando achamos que a saúde nunca faltará), dos 35 aos 40 anos, comecei a despertar para a consciência de verdades bíblicas que deram início a uma reprogramação em minha forma de pensar. Nesse novo nível de consciência parei de "brincar" de dietas e comecei a reprogramar meu *estilo de vida*. Foi uma época de *crescente convicção* dos princípios bíblicos relacionados ao assunto da saúde e uma igualmente *crescente constância*.

Hoje estou vivenciando a *terceira fase*, que classifico como um período de *grande convicção* e, consequentemente, de *grande constância*. E pretendo demonstrar que a relação entre o nível de nossa convicção determinando a dimensão de nossa constância é fato bíblico, e não apenas um elemento de minha história pessoal.

Aliás, deixe-me aproveitar para dizer primeiro que *reeducação alimentar* é aquilo de que precisamos, especialmente os com condição de sobrepeso. Do contrário, a pessoa voltará a engordar. Se o que levou a pessoa ao sobrepeso foi o estilo de vida e o padrão de alimentação errada, não dá para imaginar que, depois da dieta, ao voltar aos velhos hábitos, o problema não retornará. Ouvi, certa vez, o dr. Aldrin Marshall dizer que "dieta é algo que tem tempo determinado para se aturar e depois terminar, regressando-se ao comportamento anterior". E, conscientemente ou não, as pessoas acabam voltando às velhas práticas depois de metas de perda de peso alcançadas nas dietas e, assim, aos poucos, retornam ao peso anterior.

Nesta reflexão sobre as duas primeiras fases desse processo, percebi certas características ausentes em uma e presentes em outra fase. A diferença entre elas me ajudou a entender algo. Além dos resultados visíveis, como a diminuição de peso, eu diria que a mudança fundamental foi de *consciência*. Uma nova forma de pensar, alicerçada em um novo nível de entendimento, me ajudou a adotar um novo estilo de vida, com novas práticas. Esse foi o fundamento inicial estabelecido no primeiro capítulo.

É honesto admitir, porém, que mesmo nessa fase de mudança eu ainda experimentei *várias* oscilações. Na segunda fase deixei de viver o "efeito sanfona" ou "gangorra", como muitos denominam. Não era mais aquela "montanha-russa", aquele sobe e desce de peso como antigamente. Por várias vezes, contudo, ainda oscilei de peso — muito embora em proporções menores.

Na primeira leva de quilos perdidos, por volta de 2010, eu eliminei 27 quilos. Refiro-me àquela época que descrevi no início do livro, quando cheguei a pesar 153 quilos. Nunca mais ultrapassei esse novo limite de peso, apesar de ter demorado a perder o restante do excesso. Depois, numa segunda etapa, em 2015, perdi mais 28 quilos. Porém, depois dessa segunda emagrecida drástica, ainda cheguei a recuperar um pouco de peso *algumas* vezes.

No início de 2016, subi cerca de 15 quilos e, ao perceber o deslize, voltei a perder peso. Em meados de 2018, pouco mais de dois anos depois, engordei novamente os mesmos 15 quilos e, mais uma vez, aborrecido com "a escorregada", voltei a me cuidar. Nessa época, logo depois de uma rígida dieta que me devolveu ao peso anterior, por uma direção divina que nada tinha a ver com dieta ou perda de peso, fiz um jejum de quarenta dias só com ingestão de água. O resultado, apesar de temporário, foi que cheguei a pesar 80 quilos, peso que só me lembro de ter registrado no início da adolescência.

Tive acompanhamento médico antes, durante e depois do jejum. Eu sabia que em um jejum prolongado sempre há muita perda de peso, mas que esses quilos podem ser rapidamente repostos ao final do período de abstinência alimentar. Já tinha feito vários jejuns prolongados com duração de uma e duas semanas. Certa vez cheguei a fazer um de três semanas. E sabia que o corpo apresenta hiperassimilação depois do jejum. Portanto, não estranhei quando fui recuperando peso. O problema é que, poucos meses depois, no início de 2019, eu tinha voltado à marca dos três dígitos na balança!

Foi nessa ocasião que entendi da parte de Deus o que vou compartilhar neste capítulo. Enquanto eu orava por uma palavra para ministrar em um treinamento que teríamos com os líderes de nossas igrejas, o Senhor me guiou a um entendimento bíblico de que *a convicção* (ou fé) é *a base da constância*. E me fez enxergar, tanto nos princípios bíblicos como na prática de minha vida, que quando temos uma forte convicção de algo isso nos leva a uma forte constância naquilo.

Por exemplo, já estou pregando há mais de trinta anos. Só no ministério pastoral já são três décadas e tenho exercido também, a maior parte desse tempo, em paralelo ao pastorado, um ministério itinerante. Minha esposa e filhos sempre comentaram que ficavam impressionados com minha determinação de trabalho e produtividade no Reino. Entendi que isso era um exemplo prático do fruto de uma *convicção* que foi formada em mim mediante o *entendimento* dos princípios bíblicos.

Nessa ocasião o Espírito Santo falou ao meu coração: "Compartilhe com eles a necessidade de intensificar a convicção, porém não limite isso apenas à produtividade no ministério. Você é forte na produtividade ministerial porque se permitiu crescer na convicção do assunto. Em outras áreas de sua vida, porém, onde não há o mesmo nível de convicção, você acaba fraquejando, como na alimentação, por exemplo".

Fiquei chocado. Tinha acabado de sair do que, na ocasião, havia sido o maior jejum da minha vida e não achava que ainda me faltasse convicção para lidar com o assunto como ocorria no passado. Avaliei a forma como vinha me alimentando e não consegui entender aquela cobrança que, honestamente, parecia-me exagerada. O que não me toquei, na ocasião, é que o Senhor não falava apenas sobre o momento. Ele estava tentando me advertir do que ainda viria pela frente. Nos meses seguintes, aos poucos, meu peso voltou a subir. Embora não tenha chegado ao peso dos outros dois deslizes anteriores — recuperei cerca de uns dez quilos dessa vez — percebi que uma das coisas que me faltava era, de fato, uma convicção mais profunda. Então, *mais uma vez*, decidi *começar de novo!* Agora, porém, o foco não seria apenas a reeducação alimentar e o controle de peso, mas uma profunda mudança de *mentalidade*.

## Mude sua mente

Antes de seguir falando de alimentação e saúde penso ser importante mapear, de forma panorâmica, tanto o comportamento humano quanto as orientações e advertências bíblicas sobre mudança de vida. Não é porque alguém se converteu que tudo mudou instantânea e completamente. É verdade que quase todo cristão experimenta uma boa "arrancada" de transformação no início de sua vida de fé. Uma experiência impactante, seguida de forte empolgação, tem o poder de alavancar o comportamento humano. Porém, é importante questionar: "Isso era tudo de que precisávamos?". E a resposta é não!

Basta conferirmos o ensino bíblico aos novos convertidos. Do que eles precisavam para continuar mudando em níveis ainda não alcançados na transformação inicial? No primeiro capítulo deste livro, tratei desse assunto e julgo necessário retomá-lo e expandi-lo aqui.

As epístolas nos trazem repetidas advertências sobre a necessidade de os novos crentes mudarem *a forma de pensar* a fim de que não voltem às práticas mundanas:

> E não vivam conforme os padrões deste mundo, mas deixem que Deus *os transforme pela renovação da mente*, para que possam experimentar qual é a boa, agradável e perfeita vontade de Deus.
>
> Romanos 12.2

Paulo, escrevendo aos efésios, aborda novamente esse assunto:

> Quanto à maneira antiga de viver, vocês foram instruídos a deixar de lado a velha natureza, que se corrompe segundo desejos enganosos, a se deixar *renovar no espírito do entendimento* de vocês, e a se revestir da nova natureza, criada segundo Deus, em justiça e retidão procedentes da verdade.
>
> Efésios 4.22-24

Em ambas as instruções fica evidente a necessidade de mudança de mentalidade; não apenas de *certa* mudança, mas, principalmente, de uma *contínua e progressiva* renovação do entendimento, ou seja, da forma de pensar. Olhe para qualquer neófito e perceba que, apesar da mudança inicial, ainda há muita coisa a ser ajustada na vida dele. Ninguém vive a transformação *plena* de forma instantânea. Considere, por exemplo, um viciado em drogas que, ao se converter, foi liberto. A maioria desses convertidos não volta ao vício. Contudo, ainda sofrem recaídas até se firmarem plenamente.

O mesmo se dá em cada área do comportamento humano. Toda transformação de hábitos requer primeiro uma mudança de mentalidade. E para que isso aconteça, mais do que ter informação, necessita-se de uma nova convicção.

E a convicção precisa ser fortalecida *até chegar ao ponto* em que assuma o controle. Muita gente fracassa no processo de mudança por falta de convicção. Isso não significa que houve ausência plena de convicção; apenas que não a alimentaram o suficiente. Essas pessoas acabam desistindo depois que algumas tentativas de mudança de comportamento fracassaram. O foco, portanto, deveria ser a mudança da mentalidade. E isso também *não é instantâneo*. Requer mais do que tempo; requer certo investimento na nova forma de pensar.

Muitas vezes adotamos uma nova mentalidade sem, necessariamente, excluir a velha. O que conseguimos com isso é um conflito de mentalidades, o que não é garantia de que a nova forma de pensar prevalecerá. E as Escrituras Sagradas falam alguma coisa sobre isso? Sim! Ao abordar o assunto, e falar de gente dividida na forma de pensar, a Palavra de Deus sempre destaca pessoas que não conseguiam agir de forma correta. Consideremos alguns exemplos bíblicos:

Então, Elias se chegou a todo o povo e disse: Até quando *coxeareis entre dois pensamentos*? Se o SENHOR é Deus, segui-o; se é Baal, segui-o. Porém o povo nada lhe respondeu.

1Reis 18.21, ARA

A palavra hebraica traduzida por "coxear" é *pacach*, que significa "passar por cima, saltar por cima, mancar". Refere-se a alguém que caminha com dificuldade, pendendo o corpo de um lado para o outro.[1] Já o termo hebraico traduzido por "pensamentos" é *saiph*, "ambivalência, divisão, opinião dividida".[2] Portanto, o profeta advertiu o povo de Israel a parar de oscilar entre dois pensamentos, ou opiniões divididas. Os israelitas não haviam trocado Deus por Baal; eles estavam tentando conciliar os dois. O que estava em jogo era uma espécie de sincretismo, de mistura de pensamentos e crenças. Havia duas mentalidades competindo e, obviamente, uma delas precisava ser eliminada. Elias chegou ao ponto de dizer: "Se o SENHOR é Deus, segui-o; se é Baal, segui-o". Em outras palavras, ele estava dizendo que eles deveriam ficar com um pensamento só!

No Novo Testamento encontramos o mesmo tipo de advertência. E qual seria a razão da repetição dessas advertências nas Escrituras? Obviamente Deus quer que entendamos o dano que tal atitude de indecisão pode nos trazer e que, por meio dessa compreensão, é possível evitar o prejuízo que seria ocasionado em nossa vida. Tiago escreveu:

Se, porém, algum de vós necessita de sabedoria, peça-a a Deus, que a todos dá liberalmente e nada lhes impropera; e ser-lhe-á concedida. Peça-a, porém, com fé, em nada duvidando; pois o que duvida é semelhante à onda do mar, impelida e agitada pelo vento. Não suponha esse homem que alcançará do Senhor alguma coisa; homem de *ânimo dobre, inconstante* em todos os seus *caminhos*.

Tiago 1.5-8, ARA

Tiago orientou-nos a buscar o melhor de Deus e abordou o choque "fé *versus* dúvida". Ao destacar o homem que duvida, ele o classifica como sendo de "ânimo dobre". A palavra que consta nos manuscritos gregos é *dipsuchos*, que significa "mente dupla, vacilante, incerto, duvidoso, de

[1] Bible Hub, verbete *pacach*, H6452, <https://biblehub.com/hebrew/6452.htm>.
[2] Bible Hub, verbete *saiph*, H5587, <https://biblehub.com/hebrew/5587.htm>

interesse dividido".[3] E é justamente por causa dessa mente dupla, do interesse dividido, que a pessoa se torna inconstante, instável, em seus caminhos. (A Versão Fácil de Ler traduziu assim o versículo 8: "pois ela não sabe o que quer e é inconstante em tudo o que faz".) Já a palavra grega traduzida por "caminhos" é *hodos* e seus possíveis significados são "caminho, estrada, excursão, ato de viajar", ou, metaforicamente, "curso de conduta, forma ou modo de pensar, sentir, decidir".[4] Ou seja, tanto a possibilidade de tradução como a lógica do texto admitem a possibilidade de entendermos a declaração de Tiago assim: "Não suponha esse homem que alcançará do Senhor alguma coisa; homem de mente dupla, inconstante em toda a sua forma de pensar e, consequentemente, nos caminhos que decide trilhar".

O texto bíblico que destacamos não fala apenas sobre mente dividida ou forma de pensar. Fala ainda de fé ou incredulidade. E também de características relacionadas a cada uma delas. Isso é importante porque, se por um lado afirmamos que a fé não é racional, por outro não podemos dissociá-la de nosso entendimento, que é o que gera a convicção.

## Relação entre fé e convicção e constância

Além de falar sobre crer ou não crer, Tiago ainda enfoca quem recebe a intervenção divina e quem não. Em outras palavras, podemos tomar seu ensino como uma espécie de receita para a cooperação com Deus. Ou para a falta dela.

A fé sempre dá sinais de persistência, perseverança e constância. Com a incredulidade é exatamente o oposto. A pessoa que duvida tem ânimo dobre, mente dividida e é inconstante. Essas são características da incredulidade. Tal pessoa não carrega convicção, que é uma forma inalterável de pensar.

Uma das maneiras de avaliar se estamos andando em fé ou incredulidade consiste nas manifestações das características de cada uma delas em nossa vida. A Palavra de Deus também nos ensina:

> Assim diz o SENHOR:
> "Maldito aquele que confia no ser humano,

[3] Bible Hub, verbete *dipsuchos*, G1374, <https://biblehub.com/greek/1374.htm>.
[4] Bible Hub, verbete *hodos*, G3598, <https://biblehub.com/greek/3598.htm>.

que faz da carne mortal o seu braço
e *cujo coração se desvia do* S*ENHOR*!
Porque ele será como um arbusto solitário no deserto
e não verá quando vier o bem;
pelo contrário, morará nos lugares secos do deserto,
na terra salgada e inabitável.

"Bendito aquele que *confia no* S*ENHOR*
e cuja esperança é o SENHOR.
Porque ele é como a árvore plantada junto às águas,
que estende as suas raízes para o ribeiro
e não receia quando vem o calor,
porque as suas folhas permanecem verdes;
e, no ano da seca, não se perturba,
nem deixa de dar fruto.

"Enganoso é o coração, mais do que todas as coisas,
e desesperadamente corrupto.
*Quem poderá entendê-lo?*
*Eu, o* S*ENHOR, sondo o coração.*
Eu provo os pensamentos, para *dar a cada um segundo os seus caminhos,*
segundo o fruto das suas ações."

Jeremias 17.5-10

O profeta está falando, da parte de Deus, a respeito de confiar ou não no Senhor. E, depois de mostrar que há evidências que se manifestam na vida dos que confiam e na dos que não confiam, ele diz que o coração do homem é enganoso. E questiona: "Quem poderá entendê-lo?". O que isso significa? Que nem sempre saberemos o nível de confiança que temos tão somente ao olhar para nosso coração.

Mas, depois de falar da dificuldade do homem em se avaliar no quesito confiança, o Criador declara que é ele próprio quem sonda o coração e os pensamentos. E o que o Senhor faz depois de nos examinar de uma forma que não podemos fazer? Ele mesmo declara que o propósito dessa sondagem interior é "dar a cada um segundo os seus caminhos, segundo o fruto das suas ações". Em outras palavras, depois de examinar nosso íntimo Deus tornará visível o que está dentro de nós por meio das circunstâncias.

Assim, as evidências do que se encontra oculto, invisível, no interior se tornarão evidentes, visíveis, no exterior.

Nessa ilustração bíblica, percebemos que a constância é uma das evidências na vida dos que creem. Uma característica dos que confiam é que eles serão "como a árvore plantada junto às águas, que estende as suas raízes para o ribeiro e não receia quando vem o calor, porque as suas folhas permanecem verdes; e, no ano da seca, não se perturba, nem deixa de dar fruto". Como eu aprecio essa declaração! Manter a folhagem verde e não deixar de dar fruto, mesmo diante do calor, é uma incontestável definição de constância. Assim deveria ser a frutificação de cada cristão, independentemente das circunstâncias.

A constância é gerada pela convicção, que é o oposto da mente dividida. Quando o Novo Testamento fala de alguém *fiel* — constante em seus valores, compromissos e missão — traz a mesma relação entre fé (convicção) e constância. Deixe-me exemplificar isso com versículos bíblicos:

> Quem é, pois, o servo *fiel* e prudente, a quem o senhor deixou encarregado dos demais servos, para lhes dar o sustento a seu tempo?
>
> Mateus 24.45

A palavra grega traduzida por "fiel" é *pistos*, cujas acepções incluem "verdadeiro, fiel; de pessoas que se mostram fiéis na transação de negócios, na execução de comandos, ou no desempenho de obrigações oficiais; alguém que manteve a fé com a qual se comprometeu, digno de confiança; aquilo que em que se pode confiar; persuadido facilmente; que crê, que confia".[5] Portanto, um dos significados básicos de "fiel" é "aquele que crê". Veja um exemplo do uso de *pistos* para referir-se a quem crê:

> Que harmonia pode haver entre Cristo e o Maligno? Ou que união existe entre o *crente* e o descrente?
>
> 2Coríntios 6.15

De igual modo, quando Paulo fala de Abraão na epístola aos gálatas, ele diz: "de modo que os da *fé* [*pistis*] são abençoados com o crente [*pistos*] Abraão" (Gl 3.9). Sobre Timóteo é dito que ele era "filho de uma judia

[5] Bible Hub, verbete *pistos*, G4103, <https://biblehub.com/greek/4103.htm>.

crente [*pistos*]" (At 16.1). Jesus disse a Tomé: "Não seja incrédulo [*apistos*], mas crente [*pistos*]" (Jo 20.27). Nesses e em muitos outros textos bíblicos a palavra "fiel" foi vertida como "crente". Portanto, o fiel (*pistos*) é alguém que tem fé (*pistis*). E enquanto a palavra "fiel" procede de "fé", a palavra "fé", por sua vez, procede de *peithó*, que significa "persuasão".[6]

O ponto a ser destacado aqui é que ser fiel (constante) procede da fé (convicção), que, por sua vez, procede da persuasão (mudança de pensamento). Um exemplo do uso dessas palavras pode ser encontrado quando, na ocasião da crucificação de Cristo, um zombador declara:

> — Salvou os outros, a si mesmo não pode salvar. É rei de Israel! Que ele desça da cruz, e então *creremos* nele. *Confiou* em Deus; pois que Deus venha livrá-lo agora, se, de fato, lhe quer bem; porque ele disse: "Sou Filho de Deus".
>
> Mateus 27.42-43

As palavras traduzidas por "creremos" e "confiou" são distintas, embora transmitam o mesmo significado. "Creremos" é *pisteuo*, isto é, "pensar que é verdade, estar persuadido de, acreditar, depositar confiança em; de algo que se crê; acreditar, ter confiança".[7] Já "confiou" é *peithó*, "persuadir, induzir alguém pelas palavras a crer; fazer amigos de, ganhar o favor de alguém, obter a boa vontade de alguém, ou tentar vencer alguém, esforçar-se por agradar alguém; tranquilizar; mover ou induzir alguém, por meio de persuasão, para fazer algo; ser persuadido, deixar-se persuadir; acreditar".[8]

A relação entre fé e convicção na Bíblia é inegável. Aliás, a fé, na própria definição bíblica, é apresentada como uma convicção, uma certeza:

> Ora, a fé é a *certeza* de coisas que se esperam, a *convicção* de fatos que não se veem.
>
> Hebreus 11.1

Abraão é denominado, nas Escrituras, "pai da fé". E a Palavra de Deus o apresenta, dessa forma, como um modelo a ser seguido. Por isso Paulo, escrevendo aos romanos, se refere aos que creem como sendo aqueles que

[6] Bible Hub, verbete *peithó*, G3982, <https://biblehub.com/greek/3982.htm>.
[7] Bible Hub, verbete *pisteuo*, G4100, <https://biblehub.com/greek/4100.htm>.
[8] Bible Hub, verbete *peithó*, G3982, <https://biblehub.com/greek/3982.htm>.

"andam nas pisadas da fé que teve Abraão" (Rm 4.12). E a mesma Bíblia que o coloca como referência dos que creem também nos revela o tipo de fé que ele tinha:

> E, sem enfraquecer na *fé*, levou em conta o seu próprio corpo já amortecido, tendo ele quase cem anos, e a esterilidade do ventre de Sara. Não duvidou, por incredulidade, da promessa de Deus; mas, *pela fé*, se fortaleceu, dando glória a Deus, *estando plenamente convicto* de que Deus era poderoso para cumprir o que havia prometido.
>
> Romanos 4.19-21

A característica apresentada acerca da fé do patriarca é muito clara. Ele estava "plenamente convicto". Ou seja, Abraão não tinha apenas "convicção"; ele estava "totalmente cheio" de convicção. Esse é o significado da palavra utilizada nos manuscritos originais, *plérophoreó*, que indica tanto a ação de "encher, preencher" como de "levar alguém a ter certeza, persuadir, convencer".[9] O pai da fé estava completamente cheio de convicção. Isso nos ensina que alguém pode até ter certo nível de convicção sem, porém, estar totalmente preenchido. Ou seja, há espaço para mais convicção; ou melhor dizendo, é possível que a convicção cresça até sua plena medida.

Fomos chamados a viver uma vida de fé, que também é definida pela convicção. Mas temos tentado crer sem nos deixar ser plenamente persuadidos. Dessa forma falhamos ao tentar, por mera mudança de comportamento, ser fiéis. Portanto, para reprogramar a capacidade de ser fiel (constante), temos de fortalecer a fé (convicção). Esta, por sua vez, não vem toda de uma vez. A convicção vai nos enchendo aos poucos, por camadas, *à medida que nos deixamos ser persuadidos*. Como você acha que vem a fé? A resposta bíblica é objetiva: "E, assim, a fé vem pelo ouvir, e o ouvir, pela palavra de Cristo" (Rm 10.17). A Palavra de Deus tem o poder de mudar nossa forma de pensar e, consequentemente, nossas convicções.

Não deveríamos tentar mudar um comportamento apenas porque alguém ordenou. Precisamos ser alimentados para essa mudança através da Palavra de Deus. As Escrituras é que devem gerar em nós a convicção que nos levará à constância. O conceito bíblico de certo e errado, do que é pecado ou não, não depende apenas da observância de regras

[9] Bible Hub, verbete *plérophoreó*, G4135, <https://biblehub.com/greek/4135.htm>.

preestabelecidas. O apóstolo Paulo ensinou isso aos crentes de Roma. Ele inicia tratando de questões alimentares:

> Acolham quem é *fraco na fé*, não, porém, para discutir opiniões. Um *crê* que pode comer de tudo, mas quem é fraco na fé come legumes. Quem come de tudo não deve desprezar o que não come; e o que não come não deve julgar o que come de tudo, porque Deus o acolheu.
>
> Romanos 14.1-3

E ao abordar as discussões entre os irmãos, sobre o que se poderia e o que não se poderia comer, o apóstolo externa sua opinião sobre quem acha que não pode comer tudo e o denomina de "fraco na fé". Para a maioria o assunto estaria resolvido aqui. Mas Paulo apela para a lei do amor e diz:

> Portanto, deixemos de julgar uns aos outros. Pelo contrário, tomem a decisão de não pôr tropeço ou escândalo diante do irmão.
>
> Romanos 14.13

Isso não mudava a opinião de Paulo sobre o fato de que, diferentemente dos tempos da lei mosaica, o cristão pode comer de tudo (como definido no capítulo 7):

> Eu sei e estou persuadido, no Senhor Jesus, de que nada é impuro em si mesmo, a não ser para aquele que pensa que alguma coisa é impura; para esse é impura.
>
> Romanos 14.14

Contudo, apesar de sua opinião, o apóstolo não queria que houvesse contendas por aquele assunto e aconselhou os demais irmãos que pensavam como ele a respeitarem uma opinião diferente. E os chama a serem pacientes e amorosos com os que discordavam:

> Se o seu irmão fica triste por causa do que você come, você *já não anda segundo o amor*. Não faça perecer, por causa daquilo que você come, aquele por quem Cristo morreu. Não seja, pois, difamado aquilo que vocês consideram bom. Porque o Reino de Deus não é comida nem bebida, mas justiça, paz e alegria no Espírito Santo. Aquele que deste modo serve a Cristo é agradável a Deus e aprovado pelas pessoas.

> Assim, pois, sigamos as coisas que contribuem para a paz e também as que são para a edificação mútua. Não destrua a obra de Deus por causa da comida. Todas as coisas, na verdade, são puras, mas não é bom quando alguém come algo que causa escândalo. É bom não comer carne, nem beber vinho, nem fazer qualquer outra coisa que leve um irmão a tropeçar.
>
> Romanos 14.15-21

Não se trata de evitar conflito apenas para não ser desagradável. Lendo as epístolas de Paulo constatamos que ele sabia confrontar as pessoas e colocar o dedo na ferida quando necessário. O ponto em questão é que as pessoas que acreditavam não poder comer de tudo — o que era diferente do que o apóstolo praticava e ensinava — tinham um problema de fé e não apenas de opinião. Portanto, não adiantava tentar mudar o comportamento delas sem que houvesse, primeiro, uma mudança de mentalidade.

Isso fica evidente, a meu ver, quando o apóstolo sinaliza que alguém poderia pecar comendo um tipo de alimento que não era pecado. Observe:

> A fé que você tem, guarde-a para você mesmo diante de Deus. Bem-aventurado é aquele que *não se condena naquilo que aprova*. Mas aquele que tem dúvidas é condenado se comer, pois *o que ele faz não provém de fé*; e tudo o que não provém de fé é pecado.
>
> Romanos 14.22-23

Você pode trocar a palavra "aprova" por "acredita" e o significado da mensagem será o mesmo: "Bem-aventurado é aquele que não se condena naquilo que *acredita*". O apóstolo deixou claro que nenhum tipo de alimento é impuro *a não ser para aquele que pensa que é impuro*. E enfatiza: "para esse é impuro" (Rm 14.14). Isso significa que o que não é pecado para outros pode ser para mim. Portanto, o tipo de crente que Paulo definiu como sendo de "fé fraca" é alguém de baixa convicção em determinado assunto. E fazer as coisas sem convicção recebe uma classificação forte, que não pode ser ignorada: "tudo o que não provém de fé é pecado" (Rm 14.23).

Não é possível viver a plenitude do propósito divino sem convicção. E convicção vem de ouvir a Palavra de Deus. Não vem de outra forma! Mas também não vem toda de uma vez. Procuremos entender isso melhor. Iniciei este capítulo mencionando que minha família sempre elogia minha dedicação de servir a Deus e a inspiração que isso proporciona. Mas se você me perguntasse se eu sempre tive a mesma intensidade no ministério a resposta seria não. Porque mesmo quando era mais novo e, portanto, tinha mais vigor físico, eu não era tão fortemente movido por convicções interiores como sou hoje. O nível de convicção do que Deus espera de mim, além do entendimento de meu próprio chamado e propósito, cresceu com o tempo. Isso mesmo, convicção cresce! Todos temos áreas de forte convicção e outras áreas de menor convicção. E precisamos aprender a fortalecer a convicção por meio da meditação na Palavra de Deus.

Mesmo na época em que estava exageradamente acima do peso, eu costumava jejuar. E muitas vezes, em jejuns prolongados, eu me sentava à mesa com as pessoas que iriam comer e não me sentia tentado diante da comida. Já fui a churrascarias sem comer, apenas para ter comunhão com amigos, enquanto jejuava por semanas inteiras bebendo tão somente água. Menciono isso porque, de vez em quando, minha esposa me dizia:

— Amor, se você consegue ser tão firme em dizer não à comida quando está jejuando, por que não consegue ser tão forte quando está de regime?

Eu me calava. Sentia vergonha. E não sabia o que dizer. Uma vez arrisquei uma possível resposta:

— É que o jejum é *para Deus* e eu tenho que levar a sério!

Ela replicou:

— Então por que você não faz uma dieta *para Deus*?

Mas a verdade é que nem sempre conseguia fazer a dieta para Deus como fazia o jejum. Demorei para perceber que minha convicção em cada assunto era diferente. Em um deles, o jejum, eu havia estudado a fundo o que a Bíblia diz, havia me exercitado na prática, e havia uma força dentro de mim — a convicção — que não me deixava ceder. Mas no outro assunto, o da dieta, eu até me animava com um pouco do encorajamento dos que estavam à minha volta, mas não tinha muita convicção; portanto, acabava me faltando a firmeza, a constância. E entender essas verdades me ajudou muito. Passei a trabalhar e fortalecer a convicção antes de tentar mudar o comportamento.

Mas, assim como entender o que a Bíblia ensina sobre a constância como fruto da convicção é importante, entender o ensino bíblico de que a inconstância é fruto da falta de convicção é igualmente importante. E complementar. Agora, portanto, olhemos para o "outro lado da moeda".

### A inconstância reflete falta de convicção

O que nos move em nossas decisões e atitudes? Todos somos movidos por alguma coisa. A orientação das Escrituras é que não podemos ser movidos "pelo vento". O termo "agitado pelo vento", usado por Tiago, foi relacionado com a inconstância:

> Peça-a, porém, com fé, em nada duvidando, pois o que duvida é semelhante à onda do mar, impelida e *agitada pelo vento*. Que uma pessoa dessas não pense que alcançará do Senhor alguma coisa, sendo indecisa e *inconstante* em todos os seus caminhos.
>
> Tiago 1.6

O que é ser movido, como a onda do mar, pelo vento? É não ter uma força motriz interior, é ser agitado por fatores externos. O vento simboliza a pressão das circunstâncias, as tentativas de nos demover de nossa firmeza. Paulo usou essa mesma linguagem em sua epístola aos efésios:

> Até que todos cheguemos à unidade da fé e do pleno conhecimento do Filho de Deus, ao estado de pessoa madura, à medida da estatura da plenitude de Cristo, para que não mais sejamos como crianças, arrastados pelas ondas *e levados de um lado para outro por qualquer vento de doutrina*, pela artimanha das pessoas, pela astúcia com que induzem ao erro. Mas, *seguindo a verdade* em amor, *cresçamos em tudo* naquele que é a cabeça, Cristo.
>
> Efésios 4.13-15

É claro que o apóstolo não falava de um vento literal, e sim de influências externas, de gente astuta que induz ao erro, movendo os crentes imaturos que ainda não tinham convicção bíblica suficiente para poder resistir.

O que orienta e movimenta você? Convicções profundas, geradas pela Palavra de Deus, ou a falta delas?

A verdade é que *inconstância* e *infidelidade* (falta de fé, de convicção) caminham juntas, sempre atreladas. Observe a declaração que o salmista fez acerca disso:

> Para que pusessem a sua confiança em Deus
> e não se esquecessem dos feitos de Deus,
> mas lhe observassem os mandamentos;

e que não fossem, como seus pais,
geração obstinada e rebelde, geração *de coração inconstante*,
e cujo espírito *não foi fiel a Deus*.

Salmos 78.7-8

A relação entre inconstância e infidelidade também é clara nas Escrituras, da mesma forma que há uma relação entre constância e fidelidade, como já vimos. Outro exemplo disso se encontra nos registros bíblicos sobre a falha de Eva. O pecado *externalizado* de Eva foi a rebeldia. Mas começou com incredulidade *internalizada*. A palavra de Deus foi posta em xeque e a convicção que ela tinha foi, então, relativizada. Observe:

Mas a serpente, mais astuta que todos os animais selvagens que o Senhor Deus tinha feito, disse à mulher:

— É verdade que Deus disse: "Não comam do fruto de nenhuma árvore do jardim"?

A mulher respondeu à serpente:

— Do fruto das árvores do jardim podemos comer, mas do fruto da árvore que está no meio do jardim, Deus disse: "Vocês não devem comer dele, nem tocar nele, para que não venham a morrer."

Então a serpente disse à mulher:

— É certo que vocês não morrerão. Porque Deus sabe que, no dia em que dele comerem, os olhos de vocês se abrirão e, como Deus, vocês serão conhecedores do bem e do mal.

Vendo a mulher que a árvore era boa para se comer, agradável aos olhos e árvore desejável para dar entendimento, tomou do seu fruto e comeu; e deu também ao marido, e ele comeu.

Gênesis 3.1-6

No Novo Testamento, encontramos uma exortação de Paulo, aos irmãos coríntios, que faz uso desse exemplo da queda de Eva. O apóstolo faz essa aplicação dentro de um contexto bem específico. Ele estava preocupado que aqueles irmãos perdessem sua convicção e alicerce doutrinário, pois tinha ciência tanto do evangelho corrompido que estava sendo proclamado como da falta de convicção dos coríntios que os levaria à infidelidade.

Tenho zelo por vocês com um zelo que vem de Deus, pois eu preparei vocês para apresentá-los como virgem pura a um só esposo, que é Cristo. Temo que,

> assim como a serpente, com a sua astúcia, enganou Eva, assim também *a mente de vocês seja corrompida* e se afaste da simplicidade e pureza devidas a Cristo. Pois, se vem alguém que prega outro Jesus, diferente daquele que nós pregamos, ou se vocês aceitam um espírito diferente daquele que já receberam ou um evangelho diferente do que já aceitaram, vocês toleram isso muito bem.
>
> 2Coríntios 11.3

Penso que Pedro não foi chamado de "homem de pequena fé" por não ter conseguido permanecer sobre as águas, mas sim pela mente dividida que se permitiu ter logo depois de ter tido fé para andar sobre as águas (Mt 14.28-31). Muitas vezes podemos experimentar o que Tiago classificou como "ânimo dobre" ou "mente dividida". O próprio João Batista vivenciou algo parecido:

> Todas estas coisas foram relatadas a João pelos seus discípulos. E João, chamando dois deles, enviou-os ao Senhor para perguntar:
>
> — Você é aquele que estava para vir ou devemos esperar outro?
>
> Quando os homens chegaram a Jesus, disseram:
>
> — João Batista nos enviou para perguntar: O senhor é aquele que estava para vir ou devemos esperar outro?
>
> Lucas 7.18-20

Não estamos falando de alguém que nunca acreditou. O precursor de nosso Senhor sabia que Jesus era o Cristo. João teve uma revelação divina, seguida da manifestação de uma voz audível e também da visão do Espírito Santo, como pomba, descendo sobre Jesus. Ele falou sobre Jesus com muita convicção! Entretanto, por alguma razão, quando estava preso, João Batista parece ter perdido sua convicção e passado por um momento de mente dividida.

E se isso aconteceu com gente que era tão convicta e usada por Deus, será que temos o direito de pensar que estamos imunes a esse tipo de problema? Eu sei que a mesma coisa pode acontecer conosco. E em diferentes áreas da vida. Já tive momentos em que a convicção bíblica do cuidado do corpo foi tão forte que mudei completamente a maneira de me alimentar, dormir e exercitar. Porém, por mais de uma vez, já percebi que a consciência dessas verdades pode ir, aos poucos, se diluindo e se perdendo. E a cada vez que isso me aconteceu acabei relaxando naquilo em que antes estava tão dedicado. Porque nossa constância — ou falta dela — sempre será determinada pelo nível de convicção que temos.

Para fechar essa ideia, embasando-a claramente na Palavra de Deus, quero analisar um último exemplo bíblico. O motivo pelo qual os israelitas não entraram na terra prometida, de acordo com o escritor de Hebreus, foi a *incredulidade* (ou falta de convicção na promessa divina):

> Assim, vemos que não puderam entrar por causa da *incredulidade*.
>
> Hebreus 3.19

E qual a definição das Escrituras a respeito de incredulidade? Isso é definido, alguns versículos depois, como a falta de misturar a Palavra de Deus com a fé (convicção):

> Porque também a nós foram pregadas as boas-novas, como a eles, mas a palavra da pregação nada lhes aproveitou, porquanto *não estava misturada com a fé* naqueles que a ouviram.
>
> Hebreus 4.2, ARC

Há variações na tradução do versículo acima. Algumas versões bíblicas optam pela expressão "acompanhada" (ARA, NVI), outras preferem "unida" (TB, NVT). A palavra grega, traduzida por "misturada" no ARC, é *sugkerannumi* e significa "misturar, unir, fazendo com que diferentes partes sejam organizadas numa estrutura orgânica, como o corpo; unir uma coisa a outra".[10] Em outras palavras, não houve uma *união* entre a Palavra de Deus e a fé; eles não *misturaram* a convicção com a informação recebida pela promessa divina.

Assim, até começaram bem dando ouvidos ao Senhor. Mas, em algum momento, perderam a convicção. Portanto, se queremos mudar nosso estilo de vida e, depois disso não retroceder, permanecendo com o novo comportamento, precisamos fortalecer nossa convicção. Não apenas procurar entender melhor os princípios bíblicos como também orar para acessar um novo nível de entendimento e revelação das Escrituras.

Diante disso, surge a pergunta prática: como viver a constância? É disso que trataremos no último capítulo.

[10] Bible Hub, verbete *sugkerannumi*, G4786, <https://biblehub.com/greek/4786.htm>.

# 12

# COMO DESENVOLVER A CONSTÂNCIA

Ora, o Senhor conduza o vosso coração ao amor de Deus
e à constância de Cristo.

2TESSALONICENSES 3.5, ARA

Afirmei, no capítulo anterior, que a convicção (ou fé) é a base da constância. Mudanças comportamentais relacionadas à saúde começam com mudança de mentalidade, mas requerem continuidade, ou seja, constância. Essa, por sua vez, é gerada pela Palavra de Deus. Voltemos à declaração de Paulo à igreja em Roma:

> E, assim, *a fé vem* pelo ouvir, e o ouvir, *pela palavra de Cristo*.
>
> Romanos 10.17

Paulo já havia afirmado, apenas alguns versículos antes, essa característica da Palavra de Deus quando a denominou "a palavra da fé que pregamos" (Rm 10.8). Escrevendo a Timóteo, o apóstolo sustenta o mesmo princípio ao instruir seu discípulo a respeito do "alimento da fé":

> Expondo estas coisas aos irmãos, você será um bom ministro de Cristo Jesus, *alimentado com as palavras da fé* e da boa doutrina que você tem seguido.
>
> 1Timóteo 4.6

Portanto, só há uma forma de alimentar a convicção (ou fé): alimentando o espírito e renovando a mente, regularmente, com as Sagradas Escrituras. Um envolvimento superficial com a Bíblia nos levará a ter o mesmo tipo de fé. Porém, um envolvimento mais profundo com a Palavra de Deus nos levará a uma fé igualmente profunda.

Mas não me refiro apenas ao conhecimento, à assimilação da informação, que adquirimos por meio de uma breve leitura. Se queremos experimentar convicção devemos alimentar a informação com reflexão, com exame mais profundo. Precisamos entender o que é fortalecer e manter viva a consciência de uma verdade para que ela não se dilua dentro de nós.

Por que, em sua opinião, Jesus instituiu uma ceia memorial? A frase "façam isto em memória de mim" (1Co 11.24) não indica que Cristo se preocupasse que sofreríamos uma espécie de amnésia. O que Jesus não queria é que nossa consciência do que foi feito por nós, na cruz, perdesse sua força. E, para garantir isso, ele estabeleceu uma memória recorrente. Por exemplo, eu e a Kelly, minha esposa, percebemos que compartilhar com outros o que entendemos acerca do cuidado do corpo ajuda a nos manter mais conscientes daquelas verdades que já sabemos. Porém, quando começamos a falar menos, ou mesmo não falar sobre o assunto, constatamos um enfraquecimento dessas verdades em nossa própria consciência.

Penso que, falando de forma generalizada, os cristãos de nosso tempo não têm entendido o que é relacionar-se com a Palavra de Deus e deixá-la alcançar uma dimensão maior de eficácia em suas vidas. A maioria dos cristãos com quem converso tem baixa interação com a Bíblia. Poucos se dedicam à leitura bíblica. E esse é apenas o nível de envolvimento com as Escrituras que nos leva à informação, ao conhecimento. Porém, se queremos entrar em outro nível, o do entendimento, temos de entender a importância da meditação na Palavra.

Hoje em dia fala-se pouco acerca disso, mas há uma distinção entre *leitura* e *meditação*. Analisemos, em primeiro lugar, as orientações sobre a leitura e, depois, sobre a meditação.

Deus ordenou aos israelitas que, quando entrassem na terra prometida e tivessem alguém que os governasse, seu regente deveria praticar a leitura diária do livro da Lei de Deus:

> Também, quando se assentar no trono do seu reino, mandará escrever num livro uma cópia desta lei, feita a partir *do livro que está com os sacerdotes levitas*. O rei terá esse livro consigo e nele *lerá todos os dias da sua vida*, para que aprenda a temer o SENHOR, seu Deus, a fim de guardar todas as palavras desta lei e estes estatutos, para os cumprir.
>
> Deuteronômio 17.18-19

Jesus perguntou aos judeus dos seus dias: "Vocês nunca leram nas Escrituras...?" (Mt 21.42). Isso indica que, obviamente, ele esperava que seu povo lesse a Bíblia. Aliás, só no Evangelho de Mateus temos o registro de nosso Senhor fazendo seis vezes essa pergunta. Ainda há textos que falam da leitura pública das Escrituras, como a ordem do Senhor para reunirem todo o povo na Festa dos Tabernáculos (Dt 31.10-13) e a convocação feita aos israelitas por Neemias (Ne 9.3).

A leitura bíblica é fundamental. É o ponto de partida. Porém, além da leitura, há instruções específicas acerca da *meditação*. O próprio Deus orientou Josué acerca disso:

> Não cesse de falar deste Livro da Lei; pelo contrário, *medite nele dia e noite*, para que você tenha o cuidado de fazer segundo tudo o que nele está escrito; então você prosperará e será bem-sucedido.
>
> Josué 1.8

O salmista também menciona pessoas que, a exemplo de Josué, manifestam o mesmo nível de meditação que seu grande conquistador que os introduziu na terra de Canaã foi instruído a ter:

> [...] o seu prazer está na lei do SENHOR,
> *e na sua lei medita de dia e de noite.*
>
> Salmos 1.2

Ambos os textos falam de meditação dia e noite. Diferentemente da leitura, que não podemos fazer de maneira ininterrupta, a meditação deve ser feita o dia todo. Portanto, trata-se de ações distintas. A palavra hebraica empregada nos originais é *hagah*, cujas acepções incluem os verbos "gemer, rosnar, proferir, cismar, resmungar, meditar, inventar, conspirar, falar, imaginar, refletir".[1] Logo, "meditar" pode ser entendido como "murmurar"

[1] Bible Hub, verbete *hagah*, H1897, <https://biblehub.com/hebrew/1897.htm>.

(no sentido de falar consigo mesmo), "refletir" (sobre algo que já sabemos) ou "imaginar" (colocar a mente para trabalhar em cima daquilo que conhecemos). Isso nos ajuda a enxergar uma perspectiva maior da aplicação da palavra utilizada nos originais, e é esse segundo nível de relacionamento com a Palavra que nos conduzirá a uma maior dimensão de crescimento.

Paulo orientou Timóteo, seu filho na fé, acerca disso:

> *Medite* estas coisas e dedique-se a elas, *para que o seu progresso seja visto por todos.*
>
> 1Timóteo 4.15

Não há progresso sem meditação na Palavra de Deus. A mera leitura traz *informação* para a mente. A meditação (reflexão, releitura, avaliação) transforma a informação em *convicção*!

## Quatro características da constância

A fim de apresentar um melhor entendimento dessa estabilidade do comportamento e orientar o leitor a vivê-la de modo prático, decidi destacar quatro características bíblicas da constância. Decidi extraí-las de exemplos da Palavra de Deus, tendo em mente o que Paulo declarou aos coríntios: "Estas coisas aconteceram com eles para servir de exemplo e foram escritas como advertência a nós..." (1Co 10.11).

### *Valores e princípios*

José, um dos filhos mais novos de Israel, bisneto do patriarca Abraão, não tinha a mente dividida diante da sedução. Veja o relato bíblico:

> Assim, depois de algum tempo, a mulher de Potifar pôs os olhos em José e lhe disse:
>
> — Venha para a cama comigo.
>
> Ele, porém, recusou e disse à mulher do seu dono:
>
> — Escute! O meu senhor não se preocupa com nada do que existe nesta casa, porque eu estou aqui; tudo o que tem ele passou às minhas mãos. Não há ninguém nesta casa que esteja acima de mim. Ele não me vedou nada, a não ser a senhora, porque é a mulher dele. *Como, pois, cometeria eu tamanha maldade e pecaria contra Deus?*
>
> Gênesis 39.7-9

Esse é um exemplo de alguém que foi fiel a Deus e seus propósitos. Por quê? Porque José era guiado por *valores* e *princípios*. Já vi muitas pessoas tentando justificar suas ações com base em sentimentos, sem compreender que deveriam ser norteadas por valores e princípios em vez de emoções ou circunstâncias. As desculpas para a queda são variadas:

"Ah, é que eu estava tão carente..."

"Minha vida era só sofrimento. Aí, quando surgiu uma oportunidade de prazer eu não desperdicei."

"Eu me senti abandonado por Deus em meio a tantas dificuldades."

José não misturou as coisas. O certo é certo e o errado é errado, independentemente das circunstâncias ou dos sentimentos. Aquele homem de Deus não estava preocupado apenas em respeitar seu amo terreno, mas sobretudo em não pecar contra seu Senhor celestial. E isso aponta para os valores que José aprendeu e processou interiormente mediante reflexão mais profunda.

Qual é o nível do seu envolvimento com as Escrituras?

Como isso se compara ao que o Senhor espera de nós?

Sim, Deus estabeleceu para seus filhos um padrão de envolvimento com a Bíblia: "Que a palavra de Cristo *habite ricamente* em vocês" (Cl 3.16). Precisamos nos encher da Palavra de Deus!

Quando nosso coração estiver cheio dos valores bíblicos, gerando profunda convicção, nossas ações refletirão isso na forma de fidelidade a Deus e constância em testemunho de vida.

### *Perseverança e paciência*

As Escrituras Sagradas também destacam a *perseverança* dos profetas e a *paciência* de Jó como modelo a nos inspirar e orientar:

> Irmãos, *tomem como exemplo* de sofrimento e de *paciência* os profetas, que falaram em nome do Senhor. Eis que consideramos felizes os que *foram perseverantes*. Vocês ouviram a respeito da *paciência de Jó* e sabem como *o Senhor fez com que tudo acabasse bem*; porque o Senhor é cheio de misericórdia e compaixão.
>
> Tiago 5.10-11

A palavra grega traduzida por "paciência", quando usada em relação aos profetas, é *makrothumia,* cujo significado é "paciência, tolerância, constância, firmeza, perseverança e longanimidade" e pode ainda incluir aplicações como "clemência e lentidão em punir pecados".[2] Ou seja, a firmeza e constância dos profetas devem ser imitadas. A capacidade deles de perseverar e manter ânimo longo (esse é o significado de longanimidade) é um padrão a ser seguido pelos santos da nova aliança.

Note também que a palavra "paciência" vem associada a "sofrimento". Portanto, há uma ênfase muito específica e particular em ser fiel e constante em circunstâncias adversas. O Novo Testamento dá várias ênfases aos maus-tratos e à perseguição sofridos pelos profetas no Antigo Testamento:

> Alegrem-se e exultem, porque é grande a sua recompensa nos céus; pois assim *perseguiram os profetas que viveram antes de vocês.*
>
> Mateus 5.12

> Ai de vocês, escribas e fariseus, hipócritas, porque vocês edificam *os sepulcros dos profetas*, enfeitam os túmulos dos justos e dizem: "Se nós tivéssemos vivido nos dias de nossos pais, não teríamos sido seus cúmplices, quando *mataram os profetas*!" Assim, vocês dão testemunho contra si mesmos de que são filhos dos que *mataram os profetas*. Portanto, tratem de terminar aquilo que os pais de vocês começaram.
>
> Serpentes, raça de víboras! Como esperam escapar da condenação do inferno? Por isso, eis que eu lhes envio *profetas*, sábios e escribas. A *uns vocês matarão e a outros crucificarão; a outros ainda vocês açoitarão nas sinagogas e perseguirão de cidade em cidade*; para que recaia sobre vocês todo o sangue justo derramado sobre a terra, desde o sangue do justo Abel até o sangue de Zacarias, filho de Baraquias, a quem *vocês mataram* entre o santuário e o altar. Em verdade lhes digo que todas estas coisas hão de vir sobre a presente geração.
>
> Jerusalém, Jerusalém! Você *mata os profetas e apedreja os que lhe são enviados!* Quantas vezes eu quis reunir os seus filhos, como a galinha ajunta os seus pintinhos debaixo das asas, mas vocês não quiseram!
>
> Mateus 23.29-37

> Deus não rejeitou o seu povo, a quem de antemão conheceu. Ou vocês não sabem o que a Escritura diz a respeito de Elias, como pediu com insistência diante

[2] Bible Hub, verbete *makrothumia*, H3115, <https://biblehub.com/greek/3115.htm>.

de Deus contra Israel, dizendo: "Senhor, *mataram os teus profetas*, derrubaram os teus altares. Sou o único que sobrou, e *procuram tirar-me a vida*".

Romanos 11.2-3

[...] porque também vocês sofreram, da parte de seus patrícios, as mesmas coisas que eles, por sua vez, sofreram dos judeus, os quais não somente *mataram o Senhor Jesus e os profetas*, como também nos perseguiram [...]

1Tessalonicenses 2.14-15

Escolhi inserir vários textos bíblicos sobre a perseguição aos profetas para mostrar que isso é mais do que informativo, é enfático. Os profetas sofreram maus-tratos, perseguições e até mesmo a morte. Mas ainda assim eram fiéis e constantes. Eles "permaneceram firmes". Nós também precisamos de firmeza! Por isso somos desafiados a tomá-los como exemplos.

E o que dizer de Jó? A Bíblia fala de sua paciência. A palavra grega traduzida por "paciência" no versículo 11 é diferente da que vimos no versículo 10. Trata-se da palavra *hupomoné* e retrata "a característica da pessoa que não se desvia de seu propósito e de sua lealdade à fé e piedade mesmo diante das maiores provações e sofrimentos; paciente, que espera por alguém ou algo lealmente; que persiste com paciência, constância, e perseverança".[3]

Como Jó poderia ter falhado? É só olhar para o comportamento de sua esposa, que, diante do desânimo das circunstâncias terríveis e angustiantes que enfrentou, perdeu sua convicção (fé) acerca de Deus e disse: "Você ainda conserva a sua integridade? Amaldiçoe a Deus e morra!" (Jó 2.9). Mas o que esse homem de Deus respondeu a ela? Ele declarou: "Você fala como uma doida. Temos recebido de Deus o bem; por que não receberíamos também o mal?" (Jó 2.10). Esse foi o mesmo crente que também declarou:

Porque *eu sei* que o meu Redentor vive
e por fim se levantará sobre a terra.

Jó 19.25

Não são apenas as circunstâncias que derrubam alguém. Jó e sua esposa passaram pelas mesmas perdas, mas tiveram reações diferentes. O que derruba alguém é sua falta de convicção. E essa procede de um relacionamento superficial com a Palavra de Deus.

[3] Bible Hub, verbete *hupomoné*, G5281, <https://biblehub.com/greek/5281.htm>.

Que sejamos mais parecidos com Jó e os profetas na convicção, firmeza e perseverança!

### *Decisão baseada em propósito*

Outro aspecto da constância pode ser visto na firmeza oriunda de tomar decisões baseadas em propósito. Via de regra, isso está conectado ao entendimento de um propósito. Um bom exemplo bíblico refere-se a Jesus e sua firme decisão de ir a Jerusalém:

> E aconteceu que, ao se completarem os dias em que devia ele ser assunto ao céu, *manifestou, no semblante, a intrépida resolução de ir para Jerusalém* e enviou mensageiros que o antecedessem. Indo eles, entraram numa aldeia de samaritanos para lhe preparar pousada. Mas não o receberam, porque o aspecto dele era de quem, decisivamente, ia para Jerusalém. Vendo isto, os discípulos Tiago e João perguntaram: Senhor, queres que mandemos descer fogo do céu para os consumir? Jesus, porém, voltando-se os repreendeu [e disse: Vós não sabeis de que espírito sois]. [Pois o Filho do Homem não veio para destruir as almas dos homens, mas para salvá-las.] E seguiram para outra aldeia.
>
> Lucas 9.51-56, ARA

Acho extraordinário que a Palavra de Deus tenha registrado e nos comunicado esse episódio da vida de Jesus. Com frequência, olhamos para Cristo como Deus e não como alguém que se despiu dos atributos divinos e viveu como um homem que agradava ao Pai e cumpria seu propósito na terra. Mas é justamente essa a lição que Deus quer que aprendamos. Você se lembra de quando Jesus disse a seus discípulos: "Porque eu lhes *dei o exemplo*, para que, *como eu fiz, vocês façam também*" (Jo 13.15)? Ele estava sempre agindo, intencionalmente, de forma exemplar. Cristo é nosso modelo e referência de comportamento em tudo. E nesse acontecimento não é diferente. Analisemos, então, as lições que podem ser extraídas do relato bíblico acima:

1. *Intrépida resolução*. Era visível, no rosto de nosso Senhor, uma decisão, uma forte resolução e determinação de fazer algo (ir a Jerusalém). Será que nossas decisões carregam tamanha convicção?
2. *Metas requerem planejamento*. Jesus enviou alguns mensageiros à sua frente para lhe preparar pousada. Uma viagem como essa requeria a

devida logística. Pessoas que perseguem alvos entendem a necessidade de um plano organizado para alcançá-los.

3. *Problemas no meio do caminho.* Os discípulos enviados para organizar a hospedagem tentaram isso numa aldeia de samaritanos, que, segundo o relato bíblico, não se davam com os judeus (Jo 4.9). Como os samaritanos não queriam recebê-los, os discípulos oferecerem a Jesus uma solução tanto dramática como exagerada: fazer descer fogo do céu, à semelhança de Elias, e destruir os samaritanos.
4. *Soluções práticas.* Os determinados a alcançarem suas metas tendem sempre a dramatizar menos e buscar praticidade nas soluções necessárias. Cristo repreendeu os discípulos por serem tão emotivos e distantes do trato divino correto com as pessoas e ofereceu uma solução mais simples. Foram para outra aldeia. Em outras palavras, procurou outro lugar que o recebesse.

Por mais simples que pareçam, os princípios acima foram registrados para *nos ajudar* a viver a constância. Se entendemos o propósito divino para algo devemos persegui-lo com determinação. Para isso é necessário organizar-se com o intuito de chegar até o final. E quando os problemas surgirem no meio do caminho não podemos desistir. Devemos encontrar soluções práticas e seguir adiante.

## *Indesanimável e indesistível*

Outra perspectiva dessa virtude denominada constância pode ser encontrada na firmeza que Paulo demonstrava. Tomando a liberdade de fazer uso de um neologismo (isto é, a criação de uma expressão nova visando definir novos conceitos), eu diria que o apóstolo era *indesanimável* e, portanto, *indesistível*. As circunstâncias, por piores que parecessem, não o detinham. Observemos alguns exemplos escriturísticos:

> Por isso *não desanimamos*. Pelo contrário, mesmo que o nosso ser exterior se desgaste, o nosso ser interior se renova dia a dia. Porque a nossa leve e momentânea tribulação produz para nós um eterno peso de glória, *acima de toda comparação*, na medida em que *não olhamos para as coisas que se veem, mas para as que não se veem*. Porque as coisas que se veem são temporais, mas as que não se veem são eternas.
>
> 2Coríntios 4.16-18

Algo que levava Paulo a ser indesanimável era a *distinção das forças interiores e exteriores.* Nessa sua afirmação aos coríntios ele deixa isso bem claro. Revela que não era movido pelo que acontecia do lado de fora, nas circunstâncias à sua volta. Ele era movido por uma força divina de renovação interior contínua. Não podemos, nas palavras de Tiago, "ser movidos pelo vento", pelas circunstâncias. Isso define os inconstantes. Os constantes têm uma força motriz dentro de si que é uma determinação alimentada pelo Deus que a propôs, pela Palavra que alimenta a fé e a convicção de todos nós.

Outra coisa que levava o apóstolo dos gentios a agir com tamanha determinação era *seu foco bem ajustado.* Ele mostra que não atentava para aquilo que se via (com olhos naturais), ou seja, as circunstâncias. Onde Paulo fixava seus olhos? Naquilo que não se via, isto é, ele focava (com olhos espirituais) as verdades espirituais da Palavra de Deus.

Um terceiro comportamento a ser observado em Paulo era sua determinação de não abortar o processo, de ir até o fim. Ele tinha metas claras e sabia persegui-las:

> Irmãos, quanto a mim, *não julgo havê-lo alcançado,* mas uma coisa faço: *esquecendo-me das coisas que ficam para trás* e *avançando para as que estão diante de mim, prossigo para o alvo,* para o prêmio da soberana vocação de Deus em Cristo Jesus.
>
> Filipenses 3.13-14

Muitos desistem por terem tropeçado no caminho. Emagreceram e voltaram a engordar. E isso parece ser suficiente para que a meta de perder peso e viver de forma saudável seja abandonada. Paulo dizia: "Eu me esqueço das coisas que ficam para trás". Em outras palavras: "Eu supero, eu dou a volta por cima!".

Às vezes ouço gente dizendo: "Eu não consigo emagrecer ou permanecer magro. Já tentei várias vezes...". Nesse momento, gosto de responder: "Tente mais! Tente de novo e de novo e de novo, quantas vezes for necessário!". Mas não tente apenas mudar o comportamento. Mude primeiro sua mente, suas convicções. Qual o problema de haver tropeçado na corrida? Levante-se novamente e volte a correr! Não desista!

Fortaleça suas convicções e deixe isso endireitar sua constância. Trabalhe sua mentalidade. Leia e releia este livro e reflita nestas verdades até que elas saturem sua mente. Você também pode mudar e permanecer mudado.

Compartilhe suas impressões de leitura,
mencionando o título da obra, pelo e-mail
**opiniao-do-leitor@mundocristao.com.br**
ou por nossas redes sociais

Esta obra foi composta com tipografia Palatino e Sweet Sans
e impressa em papel Hylte Cream 70 g/m² na gráfica Imprensa da fé